En 2018, H

Chère lectrice,

Comme vous le savez peut-être, 2018 est une année très importante pour les éditions Harlequin qui célèbrent leur quarantième anniversaire. Quarante années placées sous le signe de l'amour, de l'évasion et du rêve… Mais surtout quarante années extraordinaires passées à vos côtés ! Azur, Blanche, Passions, Black Rose, Les Historiques, Victoria mais aussi HQN, &H et bien d'autres encore : autant de collections que vous avez vues naître, grandir et évoluer, avec un seul objectif pour toutes – vous offrir chaque mois le meilleur de la romance. Alors merci à vous, chère lectrice, pour votre fidélité. Merci de vivre cette formidable aventure avec nous. Les plus belles histoires d'amour sont éternelles, et la nôtre ne fait que commencer…

Rencontre à Sydney

MIRANDA LEE

Rencontre à Sydney

Traduction française de
LOUISE LAMBERSON

Azur

HARLEQUIN

Collection : Azur

Titre original :
THE TYCOON'S OUTRAGEOUS PROPOSAL

HARPERCOLLINS FRANCE
83-85, boulevard Vincent-Auriol, 75646 PARIS CEDEX 13
Service Lectrices — Tél. : 01 45 82 47 47

www.harlequin.fr

ISBN 978-2-2803-8004-1 — ISSN 0993-4448

1.

Cleo déposa les fleurs sur la tombe sans verser une seule larme. Elle avait déjà pleuré en fin de matinée, lorsqu'elle avait soudain réalisé qu'elle avait oublié l'anniversaire de la mort de Martin. Elle se trouvait alors au bureau et avait dû expliquer à son patron, très inquiet, qu'elle avait pour habitude de se recueillir sur la tombe de son mari ce jour-là, avec sa belle-mère. Compréhensif, il lui avait tout de suite accordé son après-midi.

Et voilà qu'elle contemplait maintenant l'inscription gravée sur le marbre, les yeux secs, tandis que Doreen sanglotait à ses côtés.

Peut-être avait-elle achevé son deuil, songea Cleo. Elle avait aimé Martin. À la fin. Et au début. Mais pas entre les deux. Difficile de rester amoureuse d'un homme s'évertuant à diriger le moindre aspect de votre vie, depuis vos activités professionnelles jusqu'au choix de vos vêtements et de vos amis. Et ce n'était pas mieux à la maison. À partir du jour où ils avaient été mariés, Martin avait pris le contrôle financier du ménage et assumé toutes les décisions.

Cleo était en partie responsable de cette situation. Au commencement, n'avait-elle pas apprécié l'attitude énergique et virile de son mari, son esprit d'initiative palliant son propre manque de maturité et de confiance en elle ? Fiancée à vingt ans et mariée à vingt et un, elle n'était qu'une enfant, dans plus d'un domaine.

Mais l'enfant avait fini par grandir et Cleo avait compris qu'elle s'était progressivement laissé étouffer. La réalité s'était imposée à elle : non seulement l'homme qu'elle avait épousé tenait à ce qu'elle dépende entièrement de lui, mais il ne lui ferait un enfant qu'une fois l'emprunt effectué pour acheter la maison totalement remboursé. Ainsi, elle pourrait élever leur progéniture et se métamorphoser en femme au foyer à plein temps. Perspective qui ne l'avait pas vraiment attirée. Elle aimait son travail au service commercial de McAllister Mines, même si cet emploi avait été choisi par Martin pour la seule raison qu'il avait travaillé là-bas comme comptable.

Cleo avait pris la décision de quitter son mari le jour même où celui-ci avait découvert qu'il était atteint d'un cancer, un mélanome particulièrement agressif et peut-être incurable.

Il s'était avéré incurable, en effet. Mais il avait fallu deux longues années à Martin pour mourir et durant cette période éprouvante, Cleo avait réappris à l'aimer. Il s'était montré si courageux au cours de ces mois terribles… Et si désolé de lui avoir fait endurer un véritable calvaire. Car il avait toujours été conscient de ce qu'il faisait, il avait su qu'il se comportait en tyran et la faisait souffrir, sans pouvoir s'en empêcher. Apparemment, son père s'était conduit de la même manière avec sa mère et c'était tout ce que Martin avait eu comme modèle. Pour Cleo, cet aveu ne constituait pas une excuse, mais c'était au moins une explication.

La nature invalidante de sa maladie avait contraint Martin à renoncer à sa nature dominatrice. Peu à peu, il avait dû se reposer sur Cleo, si bien qu'elle avait acquis la confiance nécessaire pour s'en sortir, une fois que Martin serait parti. Sa mort était en effet devenue inéluctable, le cancer ayant atteint le cerveau. Cleo avait cru qu'elle serait soulagée une fois que son mari ne serait plus là et d'une certaine façon, cela avait été le cas. Mais peu après le décès, le chagrin s'était abattu sur elle et, si son patron ne lui avait pas proposé de devenir son assistante — poste représentant à la fois une promotion et un défi —, elle aurait sans doute sombré dans la dépression.

En fait, elle était sujette à la dépression depuis la mort de ses parents, tués dans un accident de voiture alors qu'elle était adolescente. Après le drame, elle avait été élevée par ses grands-parents paternels, beaucoup trop âgés et vieux jeu pour comprendre les besoins d'une fille de treize ans. À ce souvenir, Cleo sentit les larmes lui monter aux yeux.

S'apercevant de sa détresse, Doreen se rapprocha d'elle pour lui prendre doucement le bras.

— Ne pleurez pas, Cleo, dit-elle en essuyant ses propres larmes avec un mouchoir en papier. Nous ne devrions pas être tristes. Il ne souffre plus. Il est en paix, désormais.

— Oui, murmura Cleo.

Elle ne pouvait pas avouer à la mère de Martin qu'elle pleurait sur son propre sort et non sur celui du défunt.

— Vous ne devriez peut-être plus venir ici, reprit Doreen. Cela fait trois ans, maintenant, et ce n'est pas forcément bon de s'appesantir sur le passé. Vous êtes encore jeune, Cleo. Vous devriez sortir, fréquenter des hommes.

— Sortir ? Avec des hommes ? répliqua-t-elle, stupéfaite.

— Pourquoi cet air choqué ? Ce serait tout à fait normal, au contraire.

— Et avec qui voudriez-vous que je sorte, exactement ?

Doreen haussa les épaules.

— J'imagine que vous rencontrez des hommes séduisants, au travail…

— Pas vraiment. Mes collègues plus ou moins séduisants sont tous mariés. Et de toute façon, cela ne m'intéresse pas.

— Pourquoi ?

Parce que votre fils a détruit en moi tout intérêt pour le sexe, aurait pu répondre Cleo. Au début, elle avait aimé ça. Mais après leur mariage, sa libido s'était vite mise en sommeil. Car Martin avait alors tout dirigé, lui disant que faire et comment le faire, lui répétant que c'était sa faute à elle quand elle ne jouissait pas. Peu à peu, il l'avait amenée à feindre l'orgasme pour avoir la paix. Cela avait été un véritable soulagement pour elle, lorsque la chimio avait entraîné un déficit en testostérone. Le sexe était bien la dernière chose à laquelle pensait Martin, tandis qu'il se battait contre le cancer. Quant à Cleo, libérée de toute contrainte sur ce plan-là, elle avait pu se laisser aller à son affection sincère pour lui.

Au moment de sa mort, elle lui avait tenu la main en lui répétant qu'elle l'aimait et elle n'avait pas menti. Mais le mal était fait et à présent, elle ne ressentait jamais plus aucune attirance sexuelle envers quiconque. Cela ne lui manquait absolument pas. Aussi n'avait-elle jamais songé à sortir ou à refaire sa vie. Parce que se marier voulait dire se plier aux désirs d'un homme.

— Je n'ai absolument pas l'intention de me remarier, répondit-elle enfin.

Cette fois, Doreen se contenta de hocher la tête, comme si elle comprenait. Cleo avait été victime de maltraitance psychologique durant son mariage, mais sa belle-mère aussi.

Elle observa Doreen quelques instants. À cinquante-deux ans, celle-ci avait gardé sa minceur de jeune fille et son charme féminin. C'était elle, qui aurait dû sortir et se trouver un homme. Il en restait sûrement quelques-uns de charmants sur terre.

Comme son patron. Scott était un homme merveilleux. Aimable. Attentionné. Bon mari. Enfin, quand il ne faisait pas l'imbécile. Dire qu'ils avaient été à deux doigts de se séparer, lui et Sarah. Dieu merci, ils avaient repris leurs esprits à temps.

— Nous devrions rentrer, dit gentiment Doreen.

Cleo sourit à celle qui était désormais bien plus qu'une belle-mère pour elle. Après être venue s'installer chez eux pour l'aider dans la dernière phase de la maladie de Martin, Doreen était devenue sa meilleure amie et n'était jamais repartie. Ayant perdu son mari peu avant que Cleo rencontre Martin, elle n'était pas propriétaire de la maison où elle vivait, aussi Cleo lui avait-elle proposé d'habiter chez elle. Doreen avait accepté tout de suite et depuis, ni l'une ni l'autre n'avait jamais regretté cette décision.

Cleo était à présent propriétaire de la maison de Leichhardt, proche banlieue ouest où les prix de l'immobilier avaient récemment flambé, à cause de la proximité du quartier d'affaires de Sydney. La maison n'était pas bien grande et aurait eu besoin d'un petit rafraîchissement, mais elle lui appartenait, ce qui signifiait indépendance et liberté.

— Bonne idée, dit-elle en se détournant de la tombe. Qu'y a-t-il à la télévision, ce soir ?

Elles se dirigèrent toutes les deux vers le parking.

— Pas grand-chose. Alors, nous pourrions plutôt regarder l'un des films que j'ai enregistrés, proposa Doreen.

— D'accord. Mais pas une histoire triste !

Avant que Doreen ne puisse répliquer, le portable de Cleo sonna dans son sac.

— C'est mon patron, dit-elle en découvrant le nom de l'appelant.

Elle tendit ses clés à Doreen.

— Allez vous installer dans la voiture, ce ne sera pas long. Scott ? Que se passe-t-il ?

— Rien de grave. Désolé de vous déranger, Cleo. Tout va bien ? Vous avez pu aller au cimetière ?

— Oui, merci.

— Parfait. Je voulais vous prévenir que j'ai décidé d'emmener Sarah passer une seconde lune de miel à Phuket.

— Mais c'est merveilleux, Scott ! Quand partez-vous ?

— C'est pour cela que je vous appelle. Nous partons demain après-midi et serons absents deux semaines.

— *Demain ?* Mais vous déjeunez avec Byron Maddox mercredi !

Le prix des minerais ayant chuté récemment, McAllister Mines traversait une période difficile, aussi Scott avait-il demandé à Cleo de lui trouver un partenaire suffisamment solide pour avancer des fonds et le décharger d'une part de ses responsabilités. Scott avait en effet décidé de consacrer davantage de temps à son couple.

— Je sais. J'ai pensé que vous pourriez me remplacer.

— Cela risque de ne pas lui plaire, Scott. C'est *vous* qu'il désire voir, pas moi.

— Pas forcément. Ce qu'il veut pour l'instant, ce sont

des informations générales sur l'entreprise, or vous en savez autant que moi sur le sujet.

— C'est très flatteur, mais faux.

— Ne vous sous-estimez pas, Cleo. J'ai entièrement confiance en vous.

Ça alors, il allait la laisser se débrouiller toute seule avec Byron Maddox ! Si elle se sentait tout à fait capable de remplacer Scott durant quinze jours et de gérer le quotidien, elle savait néanmoins qu'elle n'était pas de taille à traiter d'égale à égal avec un homme comme Byron Maddox.

— Je ferai de mon mieux, dit-elle d'un ton résigné.

— Je vous répète que j'ai entièrement confiance en vous, Cleo. Je vais tout de suite appeler Harvey ainsi que les directeurs pour les prévenir que vous prenez le relais durant deux semaines. Et ensuite, je rentre : Sarah panique, parce qu'elle craint de ne pas être prête ! On se voit à mon retour, d'accord ?

— Voulez-vous que je vous appelle après le déjeuner avec Maddox ?

— Bien sûr. Il faut que je raccroche, Cleo. Bonne chance.

Elle contempla son téléphone en laissant échapper un long soupir, puis se dirigea vers la voiture.

— Qu'est-ce qu'il voulait ? demanda Doreen comme Cleo s'installait au volant. Vous avez l'air inquiète.

Cleo soupira de nouveau et alluma le contact.

Pour être inquiète, elle était inquiète.

2.

Jamais il n'aurait imaginé qu'il serait si compliqué de se trouver une épouse. Debout sur l'épaisse moquette de son immense bureau, Byron tapa doucement la balle de golf, qui manqua le trou.

Pourtant, peu de célibataires pouvaient s'enorgueillir d'avoir un profil aussi attractif que le sien.

Après avoir coupé tout lien professionnel avec son père, puissant magnat des médias installé à New York, Byron était revenu à Sydney cinq ans plus tôt, avec deux objectifs en tête. *Primo*, créer sa propre société d'investissement ; *secundo*, se marier et fonder une famille.

Il avait atteint son premier but, mais échouait lamentablement avec le second. Ce n'était pas faute d'avoir essayé. Il s'était fiancé à deux reprises au cours des deux dernières années, avec des femmes superbes qui s'étaient montrées plus que disposées à épouser le fils unique et futur héritier du richissime Lloyd Maddox.

Malheureusement, aucune de ces relations n'avait dépassé le stade des fiançailles. Et le fait d'avoir rompu lui-même avec ses deux fiancées n'atténuait en rien la déception de Byron. En outre, ces séparations lui avaient coûté une fortune sur le plan financier. Cependant, il ne regrettait pas ces ruptures, surtout après avoir compris qu'il ne pourrait pas passer le restant de sa vie avec une femme qu'il n'aimait plus — ou n'avait peut-être même jamais aimée.

Après avoir offert la rituelle bague de fiançailles à l'une puis à l'autre quelque temps plus tard, ses lunettes roses étaient vite tombées et il avait vu ses fiancées pour ce qu'elles étaient vraiment. Des femmes superficielles et ambitieuses, plus avides de profiter du statut que leur apporterait le mariage avec Byron Maddox que désireuses de l'épouser lui.

L'amour vrai est une denrée rare, décida-t-il tout en se concentrant sur sa position et ses poignets avant de tenter un nouveau coup. Pourtant, son père semblait avoir eu la main heureuse, la seconde fois. Durant sa récente visite à New York à l'occasion du baptême de sa demi-sœur, Byron avait été impressionné par le dévouement d'Alexandra envers son mari. Mais peut-être se trompait-il. Après tout, Lloyd Maddox était l'un des hommes les plus fortunés et les plus puissants du monde. Comment savoir s'il était aimé pour lui-même ou pour son argent ?

Voyant que son essai était aussi raté que les précédents, il jura et se dirigea vers la porte qu'il ouvrit d'un geste brutal.

— Grace ! Pourriez-vous m'accorder quelques minutes, s'il vous plaît ? J'ai besoin de vos conseils.

Son assistante jouait régulièrement au golf avec son mari, aussi pourrait-elle peut-être lui dire ce qui n'allait pas.

— J'espère que vous n'avez pas oublié que vous déjeunez avec Cleo Shelton et que vous avez rendez-vous avec elle dans quinze minutes, déclara-t-elle en entrant.

L'air incrédule, elle contempla le club que Byron tenait à la main, puis ses manches de chemise roulées sur les avant-bras.

— Ça, par exemple ! s'exclama-t-il après avoir jeté un coup d'œil à sa Rolex en or. Le temps passe à une vitesse folle, aujourd'hui !

— Quand on s'amuse, on ne le sent pas passer…

— S'amuser ? Le golf est une véritable torture ! Je vais devoir me taper un parcours de dix-huit trous avec le propriétaire de Fantasy Productions vendredi. Ce type est un joueur hors pair, et si je n'arrive pas à mettre au point mon putting, je vais me faire massacrer.

Byron refusait d'admettre être incapable de maîtriser ce

sport, alors que durant ses études, il avait excellé au cricket, au tennis, en natation et au rugby.

— J'imagine…, répliqua Grace en souriant. Mais regardez le bon côté de choses : si vous vous faites « massacrer » par Blake Randall sur le terrain, il sera plus enclin à vous laisser investir dans son prochain film. Fantasy Productions a le vent en poupe, surtout depuis qu'ils ont récupéré ce beau gosse à peine sorti du conservatoire et dont ils ont fait une star.

Elle avait raison. Grace avait *toujours* raison. Approchant maintenant de la cinquantaine, elle avait travaillé pour le P-DG d'une banque commerciale avant que Byron ne la recrute par l'intermédiaire d'un chasseur de têtes, cinq ans plus tôt.

— Dites-moi ce qui cloche, s'il vous plaît.

Il aligna pieds, épaules et avant-bras, prit son temps, visa, frappa la balle. Et rata encore une fois son coup.

Lorsqu'il laissa échapper un juron, Grace se contenta de le regarder en silence.

— OK, marmonna-t-il. Qu'est-ce que j'ai fait ?

— Deux choses. Un : vos pieds ne sont pas parfaitement alignés. Deux : vous bougez les hanches au moment où vous vous apprêtez à frapper la balle. Vous devez rester immobile, puis faire un doux mouvement de pendule avec les épaules au moment de putter, pas frapper la balle comme vous le feriez sur le fairway.

Byron fronça les sourcils, puis réessaya en se concentrant sur les indications de Grace. La balle roula doucement sur la moquette, puis arriva pile au milieu du trou et tomba dans le récipient en plastique prévu à cet effet.

— Vous voyez ? fit Grace avec un petit sourire suffisant. Concentrez-vous bien là-dessus, continuez à vous entraîner et vous pourriez bien gagner vendredi.

— Que Dieu m'en garde ! s'exclama Byron en souriant.

— Maintenant, je crois que vous devriez ranger votre putter et vous préparer, reprit Grace. Cleo Shelton ne va pas tarder à arriver — ce n'est pas le genre à être en retard, à mon avis.

— Je regrette vraiment que McAllister ait envoyé son assistante à sa place, pendant qu'il se la coule douce je ne sais où ! soupira-t-il.

— Cleo Shelton est bien davantage qu'une assistante. D'après ce que j'ai entendu dire, elle est son bras droit et je ne la sous-estimerais pas, à votre place. Et si vous envisagez sérieusement un partenariat avec McAllister Mines, vous devriez la ménager.

Byron ne l'envisageait pas. Pas vraiment. C'était *eux* qui l'avaient sélectionné. Pas l'inverse. En outre, ce n'était pas le meilleur moment pour investir dans l'industrie minière. Aussi avait-il accepté ce rendez-vous plus par curiosité que par intérêt.

— Et à titre d'information, ajouta Grace, McAllister a emmené sa femme en seconde lune de miel, après une crise conjugale.

Les ayant rencontrés une fois à l'hippodrome l'an passé, Byron se souvenait de McAllister comme d'un type sympathique, mais il se rappelait surtout la beauté de sa femme et son regard intelligent.

— Et quand sera-t-il de retour ? demanda-t-il en faisant descendre ses manches sur ses avant-bras avant d'en boutonner les manchettes.

— Dans deux semaines, m'a dit Cleo. Elle ne savait pas quand exactement.

Byron hocha la tête puis alla prendre sa veste posée sur le dossier de son fauteuil.

— Essayez de ne pas être trop condescendant avec elle…

— Je ne suis jamais condescendant, protesta-t-il en enfilant sa veste.

— Si, il vous arrive de l'être. Quand vous vous croyez plus intelligent que la personne à qui vous avez affaire, par exemple.

— Seulement si mon interlocuteur est stupide. Je ne supporte pas les gens stupides.

Grace sourit.

— Je l'avais bien compris. Mais à mon avis, Cleo est loin d'être stupide.

— J'en jugerai par moi-même. Savez-vous quel âge elle a, au fait ?

— Entre trente et quarante ans, je dirais, vu son statut actuel chez McAllister Mines. Et je ne pense pas qu'elle soit une blonde toute en faux cils et seins avantageux.

Byron comprit l'allusion. Ses deux fiancées avaient été blondes, avec faux cils et seins plus qu'avantageux. Il soupira, conscient de l'étendue de sa naïveté.

— J'espère bien. Faites-la entrer dès qu'elle arrivera et je ferai de mon mieux pour me montrer charmant et pas condescendant. Pour quelle heure avez-vous réservé ?

— 13 heures.

— Parfait.

3.

La pluie prit Cleo par surprise. Et il ne s'agissait pas de quelques gouttes mais d'une violente averse.

Trouvant refuge sous l'auvent d'une boutique, elle passa la main sur ses épaules pour essuyer les gouttes d'eau qui y perlaient.

— Évidemment ! pesta-t-elle. J'aurais dû prendre un taxi.

Trop tard, à présent. Vu les embouteillages, elle n'arriverait jamais à en trouver un. Et même si elle y parvenait, ils rouleraient au ralenti et elle risquerait d'arriver en retard à son rendez-vous prévu pour 12 h 30. Après un court entretien avec Byron Maddox, ils devaient aller déjeuner ensemble.

S'apercevant que la pluie se calmait, Cleo reprit son chemin en se hâtant. Il ne serait pas facile de persuader le patron de BM Entreprises que, en dépit du climat économique régnant actuellement dans l'industrie minière, c'était le moment idéal de s'associer au P-DG de McAllister Mines. Or, sans son implication — et ses millions —, l'entreprise allait au-devant de sérieux ennuis. Alors, même si elle avait peu de chances d'y parvenir, elle devait tout faire pour convaincre Byron Maddox.

En vue de sa mission, elle avait choisi sa tenue avec soin. Rien de sexy — de toute façon, elle ne possédait rien qui le soit. Cleo avait opté pour son tailleur-pantalon le plus classique et le plus strict, un chemisier blanc et des chaussures à talons plats. Puis elle avait rassemblé ses épais cheveux en un chignon serré sur la nuque.

Une fois arrivée à destination, elle alla se réfugier dans

les immenses toilettes du rez-de-chaussée et contempla son reflet dans le miroir. La pluie avait fait des ravages sur sa coiffure, aussi défit-elle son chignon pour le refaire méticuleusement. L'essentiel était d'offrir une image professionnelle, se rassura-t-elle, et heureusement qu'elle ne se maquillait pas, sinon elle aurait perdu un temps précieux à réparer les dégâts.

Après avoir essuyé son attaché-case avec des serviettes en papier, elle quitta les toilettes et se dirigea vers les ascenseurs situés au fond du vaste hall.

Elle entra dans la cabine rutilante d'où venait d'émerger une quantité stupéfiante de personnes, puis appuya sur le bouton du trente-neuvième étage. Quand les portes se rouvrirent, elle s'avança dans un hall de réception si luxueux qu'elle faillit s'arrêter pour regarder autour d'elle.

Sol pavé de marbre noir. Mobilier blanc avec sièges en cuir. Tables basses devant les sofas et de chaque côté des fauteuils. Surtout, l'impressionnant bureau d'accueil était tout en verre. Derrière lui se tenait une hôtesse qui semblait sortir tout droit d'un casting de Hollywood. La trentaine, elle était le glamour personnifié, avec ses longs cheveux blond cendré coupés au carré à la hauteur des épaules, son beau visage maquillé à la perfection et sa robe de laine blanche faisant ressortir son rouge à lèvres vermillon. Sous le bureau, on pouvait apercevoir ses jambes longues et galbées, croisées aux genoux et se terminant par des escarpins à talons aiguilles d'une hauteur impressionnante.

Soudain, Cleo se sentit complètement déplacée dans cet environnement raffiné. Elle baissa les yeux sur ses banals mocassins noirs, son attaché-case noir encore plus banal. Peut-être avait-elle commis une erreur en choisissant la sobriété extrême. Elle aurait dû se souvenir que ce play-boy milliardaire aimait les femmes sophistiquées jusqu'au bout des ongles. Elle avait fait sa petite enquête sur Internet, non ? Mais de toute façon, même si elle l'avait souhaité, elle n'aurait pas su comment faire pour ressembler — ne serait-ce que de loin — à la ravissante hôtesse qui trônait derrière son magnifique bureau aux lignes pures et ultra-contemporaines.

— Je peux vous aider ? demanda celle-ci en la toisant d'un air légèrement supérieur.

Au lieu de s'en offusquer, Cleo préféra lui sourire comme si elle n'avait rien remarqué et lui annonça qu'elle avait rendez-vous avec M. Maddox à 12 h 30.

Cette information transforma instantanément l'attitude de l'hôtesse.

— Oh ! dit-elle en décroisant les jambes avant de se lever.

Mais elle contempla néanmoins Cleo de la tête aux pieds en fronçant les sourcils. Elle se demandait sans doute comment une femme aussi insipide pouvait avoir rendez-vous avec son superbe patron, élu célibataire de l'année.

Scott ne se souciait pas de l'apparence de Cleo. Non qu'elle se soit jamais rendue au bureau en tenue négligée. Son manque d'intérêt pour son apparence ou la mode ne l'empêchait pas de veiller à avoir une image toujours correcte et soignée. Et terriblement morne, devait-elle reconnaître.

— Par ici, s'il vous plaît, dit l'hôtesse d'un ton détaché avant de s'avancer dans un couloir en ondulant les hanches.

La suivre fut instructif. Bien que Cleo doutât fort d'arriver un jour à déambuler avec une telle assurance sur des talons de douze centimètres. Après avoir rencontré Martin, elle n'avait plus jamais porté de hauts talons, parce qu'il était plus petit qu'elle et n'aimait pas qu'elle le domine. Par la suite, elle s'était habituée aux talons plats qu'elle trouvait plus pratiques et confortables.

Cependant, ni le pratique ni le confort ne l'aideraient ce jour-là. L'espace d'un moment de panique, Cleo regretta de ne pas être maquillée ni vêtue avec chic et élégance. Avant de se ressaisir. Byron Maddox était avant tout un homme d'affaires intelligent, aussi ne ferait-il pas vraiment attention à son apparence. Le plus important était de connaître son affaire. Et dans ce domaine, Cleo avait confiance en elle.

Rassérénée par cette pensée, elle entra dans le bureau de l'assistante de Maddox d'un pas relativement déterminé.

Même si le fait de voir Grace en chair et en os ne l'aida pas vraiment à se sentir mieux préparée à ce qui l'attendait. Âgée d'une bonne quarantaine d'années, l'assistante de Maddox était une femme très séduisante, vêtue et maquillée avec élégance et raffinement — et blonde elle aussi. Apparemment, Byron Maddox préférait les blondes. Ses deux ex-fiancées l'avaient été toutes les deux — Cleo les avait vues en photo sur Internet.

Mais l'attitude de Grace ne ressemblait en rien à celle de l'hôtesse. Elle se montra chaleureuse et accueillante, et parut même apprécier sa tenue.

— J'étais certaine que vous seriez à l'heure, dit-elle en souriant.

— J'ai failli être en retard, pourtant. Une averse m'a surprise et j'ai dû passer aux toilettes pour arranger un peu ma tenue avant de monter ici. Je crains que mes cheveux ne soient encore mouillés, ajouta-t-elle en se tapotant la tête.

— Vous êtes venue à pied ? s'exclama Grace, l'air sidéré.

— C'est plus rapide qu'en taxi, en ce moment.

Grace baissa les yeux sur les chaussures de Cleo, puis sur les siennes. Elle aussi portait des stilettos, mais aux talons un peu moins hauts que ceux de l'hôtesse.

— Je ne pourrais jamais marcher avec mes chaussures, dit-elle. Les vôtres sont plus adaptées. Mais assez bavardé, Byron est impatient de vous rencontrer.

Gagnée par une appréhension inhabituelle, Cleo la regarda s'avancer vers la porte communiquant sans doute avec le bureau de Byron Maddox.

— Entrez, dit une voix virile.

Et plutôt agréable. Ni trop grave ni menaçante. Cleo détestait les patrons qui aboient en s'adressant à leurs employés. Mais Byron Maddox n'aboyait pas, naturellement. C'était un charmeur. Cependant, sous le charme apparent se dissimulait un esprit acéré, qui lui avait permis de développer brillamment une entreprise au renom international en moins de cinq années. Aussi devait-elle faire attention à ne pas le sous-estimer. Il avait beau avoir une allure et des mœurs de play-boy, il était surtout le digne fils de son père, redoutable magnat des médias, comme l'avaient constaté à leurs dépens les pairs ou ennemis qui avaient osé s'attaquer à lui. C'était du moins ce qu'elle avait lu dans le *Forbes,* magazine économique américain de référence.

Grace ouvrit la porte.

— Cleo est arrivée, dit-elle d'un ton décontracté.

Elle n'avait pas peur de son patron. C'était bon signe.

Se détendant un peu, Cleo s'avança dans un espace immense, luxueux et viril, depuis l'épaisse moquette d'un gris raffiné jusqu'aux murs recouverts de rayonnages remplis de livres et le coin salon. Deux fauteuils Chesterfield couleur chocolat flanquaient la large baie vitrée située au fond, offrant un panorama époustouflant sur Sydney et le port. Au milieu de ce décor grandiose, un bureau gigantesque trônait, derrière lequel était installé Byron Maddox, dans un fauteuil à haut dossier en cuir brun.

Il se leva aussitôt que Grace se fut éclipsée, déployant une silhouette d'athlète — et un indubitable charisme viril.

Cleo savait déjà qu'il était bel homme, grand, aux cheveux châtain clair et aux traits réguliers. Qu'il avait un physique de mannequin ou de star de cinéma. Mais il était davantage que cela. Peut-être était-ce dû à l'éclat de ses yeux bleus, ou à sa bouche sensuelle, ou encore à son corps aux proportions parfaites mis en valeur par un costume taillé sur mesure. En tout cas, l'effet qu'il produisit sur elle fut instantané et assez surprenant. Son corps, que Cleo croyait incapable du moindre émoi, reprenait vie, au risque de lui faire monter une rougeur malvenue au cou et au visage.

Heureusement, elle réussit à contrôler ses réactions. Seuls les battements redoublés de son cœur indiquaient le trouble qui s'était emparé d'elle. Le plus sidérant toutefois, c'était l'impact déroutant que cet homme avait sur son esprit. Elle pouvait à peine réfléchir !

Il la salua aimablement, lui tendit la main en accompagnant son geste d'un sourire conquérant. En retour, Cleo s'efforça de desserrer les mâchoires. Mais quand elle prit la main tendue, que ses doigts se retrouvèrent prisonniers de la chaleur émanant de ceux de Byron Maddox, elle ne put réprimer un frisson.

Cet homme était un play-boy accompli, songea-t-elle confusément. Et son charme opérait sur elle. Elle sentait maintenant sa chaleur se propager dans tout son corps, lui donnant envie de s'abandonner entre ses bras…

Mon Dieu, d'où lui venait cette pensée absurde ? Comment pourrait-elle désirer cet homme ? Et aussi vite ? Il lui avait fallu des semaines pour coucher avec Martin, alors qu'elle avait été profondément amoureuse de lui. Pourtant, quelques secondes après avoir fait la connaissance de Byron Maddox, voilà qu'elle s'imaginait déjà nue contre lui…

Il serait un amant fabuleux, elle en était convaincue. Martin était vierge quand elle l'avait rencontré, tout comme elle. Leurs premières tentatives maladroites les avaient terriblement embarrassés tous les deux. Mais ils avaient fini par s'améliorer et Cleo avait été heureuse au lit. Enfin, au début de leur relation. Après, tout s'était vite dégradé pour elle, de ce côté-là.

Plongeant son regard dans les yeux bleus de Byron Maddox, elle fut persuadée qu'avec lui, elle connaîtrait un plaisir immense, dont elle ne se lasserait pas de sitôt. Néanmoins, elle n'était pas assez stupide pour croire à un tel mirage. Elle n'aurait jamais l'occasion de découvrir les talents d'amant de Byron Maddox. Elle n'était pas le genre de femme avec qui ce somptueux play-boy partageait son lit. Elle n'était ni blonde, ni belle, ni sexy. Elle n'était qu'une brune ordinaire, complètement ignare en matière de mode et d'élégance, et dépourvue de tout sex-appeal.

Il y avait quelque chose de cruel dans cette attirance qu'elle éprouvait pour lui. Après s'être désintéressée de la gent masculine et du sexe depuis la mort de Martin, elle était fascinée par cet homme totalement inaccessible.

Il ne se passerait jamais rien, entre eux. Ce qui était tout aussi bien, se dit Cleo en dégageant doucement sa main de celle qui continuait d'enlacer la sienne. Elle avait une mission difficile à accomplir. Aussi n'était-ce vraiment pas le moment de se laisser aller à une tentative de séduction stupide — et vouée à l'échec.

— Je suis désolée que Scott n'ait pu honorer ce rendez-vous, dit-elle d'une voix posée. Mais je pense être en mesure de vous fournir toutes les informations que vous pourriez souhaiter connaître.

Byron se croyait expert en matière de femmes, mais celle qui se tenait en face de lui le déroutait complètement. Quand elle était entrée dans son bureau, il avait été frappé par son apparence. Affreusement banale et pas séduisante le moins du monde, avait-il d'abord pensé. Il détestait les tailleurs-pantalons noirs, les mocassins noirs et les chignons sévères. Il aimait les femmes qui ressemblaient à de *vraies* femmes.

Mais lorsqu'elle s'était avancée vers lui, il s'était rendu compte qu'elle n'était pas aussi banale qu'il l'avait cru. Et qu'elle avait à peine une trentaine d'années. En plus d'une belle peau, d'un teint parfait légèrement hâlé, elle avait en outre de superbes yeux sombres. La bouche était peut-être un peu trop grande mais le dessin des lèvres délicat et sensuel. C'était l'absence de rouge à lèvres — et de tout maquillage — qui donnait cette première impression de fadeur. Quant à cet affreux chignon strict, il ne mettait vraiment pas son visage en valeur !

Au moment où elle s'était approchée pour s'arrêter à deux mètres du bureau, il avait vu ses yeux bruns s'éclairer d'une brève lueur appréciative — non, sensuelle. Et quand il lui avait serré la main, Byron avait senti une douce chaleur irradier de sa paume et un léger tressaillement lui parcourir le bras. Étrangement, il avait répondu à son trouble, sa libido se manifestant aussitôt. Il avait beaucoup aimé la façon dont Cleo Shelton le regardait. Et un flot d'images délicieuses lui avaient traversé l'esprit, tandis qu'il l'imaginait débarrassée de ses horribles vêtements et haletant de plaisir sous lui.

Puis tout avait basculé. Son regard s'était comme éteint ; elle avait dégagé sa main pour parler d'une voix posée. À en juger par sa tenue vestimentaire, elle n'avait pas entrepris une tentative de séduction. Cette femme n'était pas une séductrice. Cependant, il n'avait pas imaginé l'émoi sensuel qui s'était emparé d'elle, un bref moment.

Tout à coup, Byron aperçut l'alliance en or toute simple à sa main gauche.

Bon sang ! Voilà qui expliquait son brusque changement d'humeur. Il avait été impatient d'en savoir plus sur elle, de voir peu à peu le mystère de cette femme se dévoiler et de découvrir ce qui la faisait vibrer.

Inutile, à présent. Byron ne savourait ce genre de conversation que si elle se terminait au lit.

Ce qui restait toujours possible... Cleo Shelton était peut-être séparée de son mari, ou divorcée, qui sait. Les femmes ne se débarrassent pas toujours de leur alliance après une séparation. Par ailleurs, elle ne portait pas de bague de fiançailles, remarqua-t-il avec un regain d'excitation.

Le tour que prenaient ses pensées l'agaça. Que lui arrivait-il ? Il ne fréquentait pas les femmes mariées, point final. Et il se cherchait une épouse, pas une maîtresse.

Alors, retour aux affaires !

— Je ne suis pas sûr que l'industrie minière m'intéresse, commença-t-il d'un ton dégagé. Mais j'aimerais entendre ce que vous avez à me dire, Cleo. Libre à vous de me convaincre au cours du déjeuner qu'il serait judicieux de m'impliquer avec McAllister Mines. Cela ne vous dérange pas que je vous appelle Cleo, n'est-ce pas ?

Elle fronça imperceptiblement les sourcils.

— Comme vous voudrez, dit-elle avec un sourire crispé.

— Parfait. Et appelez-moi Byron, s'il vous plaît. À propos de déjeuner, poursuivit-il en baissant les yeux sur sa montre, nous devrions descendre. Il y a un excellent restaurant au treizième étage, où Grace nous a réservé une table pour 13 heures. Nous avons encore le temps, mais nous pourrions en profiter pour boire l'apéritif. Vous ne prenez pas le volant pour repartir ?

— Non. Je suis venue à pied.

— Ah… Parfait.

— Et vous ?

— J'habite dans cet immeuble : au quarantième et dernier étage.

4.

Naturellement, songea Cleo tandis qu'il la guidait hors du bureau. Il possédait un appartement gigantesque avec terrasse.

En fait, Byron Maddox était exactement tel qu'elle se l'était imaginé. C'était un séducteur qui, en dépit de sa vive intelligence et de son sens aiguisé des affaires, menait une existence de play-boy. Pourquoi s'était-il fiancé à deux reprises ? Aucune de ces relations n'avait duré bien longtemps et chaque fois, la rupture avait fait la une de la presse people. Cleo l'avait constaté en trouvant sur Internet une foule d'articles consacrés au sujet.

Ce à quoi elle ne s'était pas attendue, en revanche, c'était de tomber sous son charme. Sans doute avait-elle été impressionnée par son physique plus qu'avantageux. Oui, il s'agissait probablement de cela. Devant un tel étalage de beauté mâle, ses hormones endormies depuis une éternité étaient soudain sorties de leur sommeil. Elle ne serait pas la première à perdre la tête devant Byron Maddox. Non qu'elle ait l'intention de craquer comme une adolescente, parce qu'il avait réussi à réveiller sa libido. Elle avait vingt-neuf ans, pas quinze !

Aussi était-il hors de question qu'elle continue de fantasmer comme une idiote, se demandant entre autres ce qu'elle ressentirait, si ces longs doigts fins s'aventuraient dans les endroits les plus secrets de son corps…

— Bon appétit ! lança Grace comme ils passaient devant son bureau.

— Merci, répondit Byron en lui rendant son sourire. Il sera excellent, j'en suis certain !

Le restaurant s'appelait le Thirty, sans doute parce qu'il était situé au trentième étage. Cleo apprécia d'emblée le vaste espace au décor sobre et élégant et au sol pavé de dalles gris pâle. Des nappes gris foncé recouvraient les tables sur lesquelles ressortaient des couverts et des verres à la ligne pure. De nombreuses fenêtres longues et rectangulaires se découpaient sur les murs blancs, le haut plafond peint en noir étant équipé d'un éclairage subtilement encastré. Au centre de la salle se trouvait un bar circulaire noir, sobre et élégant lui aussi.

Un serveur les conduisit à une table située derrière le bar, à côté d'une fenêtre donnant sur les Jardins botaniques, l'Opéra et le port. Après s'être assis en face de Cleo, Byron commanda des cocktails sans consulter la carte des boissons ni lui demander son avis.

Or, elle détestait qu'un homme décide quoi que ce soit à sa place. À une époque, elle avait joué les femmes dociles avec empressement, laissant Martin prendre toutes les décisions, mais ce temps-là était révolu. Alors, même si elle était supposée convaincre Byron Maddox d'investir ses millions dans McAllister Mines, Cleo n'avait pas l'intention de s'écraser devant lui.

De toute façon, elle soupçonnait déjà qu'il n'était pas l'homme que recherchait Scott. Son patron désirait un partenaire sur lequel il pourrait se reposer, pas seulement un investisseur. Il voulait pouvoir partager charge de travail et responsabilités, afin de pouvoir se consacrer davantage à sa femme et à leur future famille. Avant de partir la veille en second voyage de noces, Sarah avait appelé Cleo et lui avait confié qu'elle était enceinte. C'était une excellente nouvelle pour le couple.

— J'aurais pu vous demander ce que vous souhaitiez boire, dit Byron, interrompant le cours de ses pensées. Mais les cocktails que l'on sert ici sont à tomber et je voulais vous en faire goûter au moins un.

— C'est très attentionné de votre part, répliqua-t-elle, crispée.

— Alors, dites-moi…, reprit-il en soulevant l'un des menus du présentoir en cuir rouge carmin.

Après le lui avoir tendu, il prit le second.

— Qu'est-ce qui vous ferait plaisir, Cleo ? Et prendrez-vous une entrée ? Si vous aimez les fruits de mer, je vous recommande les coquilles Saint-Jacques.

À vrai dire, le trouble qui s'était emparé d'elle lui avait coupé l'appétit. Ses pensées persistaient à vagabonder dans un territoire étrange. La tentation de flirter avec cet homme superbe et sensuel était presque irrésistible, ce qui la perturbait profondément.

— J'avoue que je n'ai pas très faim, répondit-elle enfin. Je ne dors pas très bien, ces temps-ci. La situation a été un peu chaotique, au bureau. Et stressante.

Levant les yeux, elle vit avec surprise une lueur d'empathie sincère couver au fond des beaux yeux bleus.

— Je vous comprends, dit-il gentiment. Scott vous laisse vous débrouiller toute seule au moment où son entreprise rencontre des difficultés. Mais puisque vous ne dormez pas suffisamment, il faut absolument que vous mangiez, Cleo !

Il avait dit cela avec un sourire si chaleureux, si malicieux qu'elle ne put s'empêcher de lui sourire à son tour.

— Ne craignez rien, je ne vais pas m'évanouir ! Mais j'ai l'esprit un peu… confus, je le reconnais.

Byron éclata de rire.

— Il sera encore plus confus, lorsque vous aurez bu le cocktail que je vous ai commandé ! Quand je disais qu'ils étaient à tomber, je ne parlais pas seulement du goût. Ah, les voici. Vous allez pouvoir en juger par vous-même.

Le cocktail choisi pour elle était divin, Byron n'avait pas menti. Et il n'allait pas contribuer à atténuer son trouble…

L'alcool aida cependant Cleo à se détendre, en même temps qu'il la rendait un peu téméraire. Elle ne flirtait pas ouvertement avec Byron, mais elle le laissa choisir les plats ainsi que le vin. Puis, sans s'en rendre compte, elle se mit à énumérer tous les dangers menaçant actuellement l'industrie minière. Au moment du dessert — une coupe de fruits tropicaux nappés de yoghourt à la mangue —, elle réalisa qu'elle avait fait exactement le contraire de ce qu'elle aurait dû faire et s'efforça de redresser la situation.

— Tout finira par rentrer dans l'ordre, affirma-t-elle avec assurance. Le prix du fer va remonter, comme celui du charbon et des autres minerais. Ce n'est qu'une question de temps.

— Et qu'en est-il de la raffinerie de nickel ? demanda Byron. J'ai entendu dire qu'elle était au bord de la faillite.

Il n'y avait pas de solution de ce côté-là. Pas pour le moment, en tout cas. Mais si Cleo le reconnaissait devant Byron, elle pourrait dire adieu à son éventuel partenariat. Or, elle avait beau être persuadée qu'il n'était pas l'homme dont Scott avait besoin, elle ne voulait pas être responsable de son refus de s'impliquer auprès de McAllister Mines.

— La raffinerie rencontre des difficultés en ce moment, c'est vrai. Mais ce n'est pas encore la faillite.

— Eh bien… Je ne peux pas me permettre de vous croire sur parole, Cleo. Avant de me lancer dans un investissement quel qu'il soit, je fais toujours faire une expertise poussée. Voyez-vous un inconvénient à ce que mon comptable vienne voir le vôtre ?

Sa demande n'avait rien de surprenant. C'était tout à fait raisonnable et Scott l'avait prévu.

— Pas du tout, répondit-elle.

— Parfait, répliqua Byron. Il se mettra en contact avec lui dès aujourd'hui. Quant à moi, j'aimerais aller faire un tour à la raffinerie, pour me faire une idée de la situation par moi-même.

Surprise, Cleo le regarda en fronçant les sourcils.

— Vous savez qu'elle se trouve dans le North Queensland, n'est-ce pas ?

— Oui, je suis au courant, et cela ne pose aucun problème : je dispose d'un jet privé.

— Le site est desservi uniquement par route et chemin de fer. Vous devrez atterrir à Townsville et continuer en voiture.

— Très bien. Je demanderai à Grace de louer un véhicule approprié qui nous attendra à l'aéroport.

— *Nous ?* répéta Cleo, sidérée.

— Oui, vous venez avec moi.

Après avoir apprécié de la voir se détendre au cours du repas, Byron adora l'expression choquée qu'elle afficha à la perspective de l'accompagner. Mais soudain, Cleo eut l'air vraiment contrariée et même inquiète.

— Cela vous pose un problème de venir avec moi ? Votre mari s'y opposerait ?

— Pardon ?

Baissant les yeux sur sa main gauche, elle toucha brièvement son alliance avant de le regarder de nouveau.

— Non, Martin ne s'y opposera pas, dit-elle avec un soupir triste. Il… Il est mort il y a déjà un certain temps.

Ce fut au tour de Byron d'être choqué, puis envahi par une autre sensation, plus trouble. Ainsi, Cleo était veuve. Ni épouse malheureuse ni divorcée. Simplement une femme au passé douloureux et probablement très chargé sur le plan émotionnel.

Par conséquent, il devait garder ses distances. Il n'avait pas l'intention de dévier de la voie qu'il s'était tracée. C'est-à-dire se trouver une épouse. Et de toute évidence, ce ne serait pas Cleo.

Mais en dépit de cette certitude, Byron continuait de se sentir attiré par elle. Et même encore davantage que tout à l'heure, dans son bureau. Lorsqu'elle avait peu à peu laissé tomber ses défenses, il avait *senti* que l'attirance qu'il ressentait pour elle était réciproque. Un éclat mordoré avait lui dans ses yeux — très beaux, en fait. Sa bouche aussi était belle, et terriblement sexy. Et nue. Byron ne pouvait se faire une idée précise de sa silhouette, à cause de son horrible tailleur-pantalon, mais il la devinait mince et rêvait de découvrir les ravissantes courbes féminines dissimulées, il en était certain, sous le chemisier blanc et le pantalon noir.

Étrange. Il n'aurait pas dû songer à coucher avec elle. Ce n'était pas dans ses habitudes de mélanger affaires et plaisir. Pourtant il ne pouvait s'empêcher de la désirer.

— Quand est-il mort, exactement ? demanda-t-il, curieux.

— Il y a trois ans.

Cela faisait beaucoup. Et à en juger par son apparence, Cleo ne fréquentait pas le sexe opposé depuis lors. Elle semblait porter encore le deuil et avoir oublié ce que c'était que d'être une femme.

Jusqu'au moment où elle l'avait rencontré.

Car il sentait que quelque chose avait changé en elle *grâce à lui*. Byron savait qu'il plaisait aux femmes. Même celles qui n'étaient pas au courant de son statut financier. Sa fortune n'intéressait pas Cleo, il en était à peu près certain. Ni lui-même, d'ailleurs. Sinon, elle aurait profité d'être seule avec lui pour flirter ouvertement.

Par conséquent, s'il voulait cette femme — et il la voulait, comme un fou —, il devrait la séduire. Et elle ne lui faciliterait pas la tâche, perspective qui l'excita encore davantage. Depuis combien de temps n'avait-il pas eu à séduire une femme ? Cinq ans ? Dix ? En fait, il n'avait *jamais* eu à le faire.

— Vous êtes bien jeune pour être veuve, Cleo. Si cela n'est pas trop indiscret, puis-je vous demander comment votre mari est mort ?

— Du cancer. Un mélanome particulièrement malin qui a résisté à tous les traitements. Martin s'est battu de toutes ses forces, mais la maladie a fini par l'emporter.

Voyant ses yeux bruns s'embuer, Byron se sentit brièvement coupable de songer à la séduire, alors qu'elle n'avait pas encore fait le deuil de son mari. Mais elle ne pouvait pas le pleurer éternellement, même si elle l'avait aimé passionnément et qu'il avait connu une fin tragique. La vie est mouvement. Cleo devait avancer. Et il était la personne idéale pour l'y aider, décida-t-il, magnanime. Elle avait besoin que quelqu'un lui redonne goût à la vie et ce rôle lui convenait à merveille.

— C'est très triste, Cleo, dit-il doucement. Le cancer est

une calamité, un monstre. Ma mère a souffert d'un cancer du sein, il y a quelques années mais Dieu merci, elle a survécu.

— Elle a beaucoup de chance.

— Oui, je suis d'accord avec vous. Elle aura soixante ans le week-end prochain et organise une fête gigantesque, poursuivit-il. Vous voulez y aller avec moi ?

Byron avait lancé cela sans réfléchir. Mais il était trop tôt, et présomptueux, de lui faire une telle proposition.

L'air stupéfait, Cleo le dévisagea en silence.

— Vous voudriez que je vous accompagne à la fête d'anniversaire de votre mère ? demanda-t-elle enfin.

— Oui. Pourquoi pas ?

Impossible de faire marche arrière. De toute façon, il ne le faisait jamais.

— La question serait plutôt de savoir *pourquoi*, répliqua-t-elle d'un ton brusque.

— Dois-je avoir une raison ?

— Oui.

— Très bien. Parce que je vous trouve sympathique et que votre compagnie est stimulante.

— Quelle est la *vraie* raison, Byron ? insista-t-elle en plissant les yeux.

Il ne pouvait pas vraiment lui répondre qu'il avait lancé l'invitation sur une impulsion — de sa libido. Quoi qu'il en soit, c'était une très bonne idée, au fond.

— Cela m'est venu spontanément, répondit-il en souriant. En fait, ma chère mère aimerait bien que je me marie et fonde une famille, alors elle aura forcément invité quelques candidates potentielles. Et comme je préférerais choisir ma future femme moi-même, j'ai besoin de protection. Si je vais là-bas accompagné, j'aurai peut-être une chance de m'amuser, sans me soucier de devoir me défendre.

À ces mots, Cleo éclata de rire.

— J'aimerais beaucoup vous aider, Byron. Mais je vais devoir refuser, hélas.

— Pourquoi ? demanda-t-il, l'air décontenancé.

Visiblement, peu de femmes lui avaient déjà dit *non*.

Bien des réponses lui venaient à l'esprit. Tout d'abord, elle n'avait rien à se mettre pour ce genre d'occasion. Ensuite, elle se sentirait complètement déplacée au milieu des amis de sa mère. Et cela d'autant plus que personne ne croirait qu'il puisse sortir avec elle. Enfin, elle n'avait aucune envie de se torturer à feindre d'être sa petite amie.

— Parce que je n'aime pas sortir. Désolée, Byron. Mais je suis certaine que vous trouverez facilement une autre femme qui accepte de jouer ce rôle pour un soir.

— Non, impossible. J'ai rompu avec ma fiancée.

— Comme c'est malheureux, murmura Cleo, amusée par sa moue déçue. Mais vous connaissez une foule de femmes libres qui seraient ravies de vous accompagner à cette fête, ne me dites pas le contraire.

— Oui, c'est vrai. Mais toutes seraient tout aussi prêtes à en tirer les mauvaises conclusions et à endosser le rôle de la fiancée numéro trois.

Sans doute, mais pas elle, songea Cleo. Elle était bien trop lucide pour se laisser aller à ce genre de fantasme. Byron ne choisirait pas n'importe qui. La fiancée numéro un avait été un mannequin superbe et célèbre, la deuxième une actrice à la beauté somptueuse.

Pourquoi avait-il rompu ? se demanda-t-elle soudain.

— Allez, Cleo, fit-il avec un sourire ensorcelant. Donnez-moi un petit coup de main…

Agacée, elle se rendit compte qu'elle était terriblement tentée d'accepter. Or elle le regretterait aussitôt, c'était garanti. Elle avait beau être fascinée par Byron, elle ne pouvait prendre le risque de ressortir de cette histoire humiliée et détruite. Et puis, elle ne supportait pas l'idée que l'on puisse se servir d'elle. Enfin, Cleo craignait de voir se développer le trouble que Byron avait le pouvoir de faire naître en elle.

Elle était arrivée à une sorte d'équilibre dans sa vie et aimait son indépendance. Sa vie privée dépourvue de stress lui permettait de se concentrer sur son travail, seule chose qui comptait vraiment pour elle. Aussi ne souhaitait-elle pas se retrouver en proie au chaos émotionnel qui allait forcément de pair avec toute liaison amoureuse ou pseudo-amoureuse. Quant à sa libido, elle parviendrait à la calmer. Dès que ce déjeuner serait terminé, elle se comporterait de façon strictement professionnelle avec Byron, et si cela s'avérait nécessaire, elle poserait des limites à leur relation.

— Je regrette, Byron, mais je ne peux vraiment pas vous accompagner à cette soirée. Vous devriez peut-être y aller seul et affronter les redoutables candidates rassemblées par votre mère ? acheva-t-elle avec humour.

— Vous ne la connaissez pas, dit-il en secouant la tête.

— Pourquoi ne pas lui expliquer que vous ne désirez pas vous marier ? Que vous préférez votre vie de célibataire…

— C'est cela, le problème, fit-il avec un soupir. Je *désire* me marier. Mais avec une femme que j'aurai choisie, pas avec le genre de créature que ma mère va me jeter dans les bras.

— Je vois. Et à quoi ressemblent ces créatures, exactement ?

— Oh ! vous savez bien, fit-il avec un geste las de la main. Des mondaines dont le seul but est de faire un riche mariage. Plus le futur époux est fortuné, plus elles sont prêtes à tout pour le conquérir. Ce qui les intéresse, c'est la perspective de vivre dans un manoir somptueux, de se faire habiller par les plus grands couturiers en vogue — et de confier leurs enfants à des gouvernantes pendant qu'elles-mêmes vont s'afficher dans des galas de charité ou déjeuner avec des amies, entre vacances en Toscane ou à New York, avec shopping illimité.

— Rien ne vous oblige à épouser l'une de ces mondaines, comme vous dites, fit remarquer Cleo, choquée par le cynisme avec lequel Byron avait débité sa tirade.

— Je n'en ai pas l'intention, dit-il avec un petit sourire en coin. Alors, vous désirez un café ? Ou un cognac en guise de digestif ?

5.

Bien qu'encore un peu éméchée, Cleo appela Scott lorsqu'elle regagna le bureau à 15 h 30. Comme il y avait un décalage horaire de trois heures entre Sydney et la Thaïlande, elle avait des chances de le trouver éveillé. Il répondit en effet dès la deuxième sonnerie, l'air heureux et en pleine forme.

— Alors, comment ça s'est passé avec Maddox ?

— Il veut aller à la raffinerie. Demain. Dans son jet privé.

— Aïe. Cela risque de ne pas le mettre dans de bonnes dispositions vis-à-vis de McAllister Mines.

Cela risquait surtout de menacer *son équilibre personnel à elle*. En effet, Cleo ne pouvait se cacher qu'elle était déjà impatiente de revoir Byron.

— Il découvrira la situation tôt ou tard, de toute façon, dit-elle avec son pragmatisme habituel.

Scott soupira.

— Dites-lui que j'envisage de la fermer jusqu'à ce que le prix du nickel remonte.

— Cela me paraît raisonnable.

— La question de la raffinerie mise à part, quelle impression vous a-t-il faite ?

— Je ne sais pas encore. Il est charmant — et très sûr de lui.

— C'est aussi l'avis de Sarah. Nous l'avions rencontré à l'hippodrome, l'an dernier. Mais peut-être était-ce surtout sa fiancée qui avait déplu à ma femme. Je crois qu'ils ont rompu, mais le plus important est de savoir s'il a le regard fuyant…

Durant un instant, Cleo se demanda à quoi son patron faisait allusion, avant de se souvenir qu'elle avait récemment éliminé un investisseur potentiel, sous prétexte qu'il avait « le regard fuyant ».

— Non, répondit-elle avec un rire qui manquait de naturel.

Byron n'avait pas le regard fuyant mais franc et pénétrant. Intelligent et terriblement sexy.

— Bon. Il vous a plu, alors ? Professionnellement, je veux dire.

— Je pense. Je serai mieux à même de vous dire ce que je pense de lui après notre visite à la raffinerie. Voulez-vous que je vous appelle à mon retour ?

Le léger silence qui lui répondit fut des plus éloquents.

— Non, dit-il enfin. J'ai promis à Sarah de laisser le travail de côté durant notre lune de miel et j'ai l'intention de respecter ma promesse. De toute façon, je ne pourrais pas faire grand-chose à distance. Je vous fais entièrement confiance, Cleo. Appelez-moi seulement s'il y a une urgence.

— D'accord.

Elle décida de ne pas lui parler de la venue du comptable de Byron. Scott et Sarah avaient besoin de décompresser et de passer du temps ensemble, sans que son patron soit préoccupé par ce genre de problème. Et puis, leur comptable était particulièrement scrupuleux, tant sur le plan professionnel qu'éthique.

Après avoir salué Scott et lui avoir souhaité de bien profiter de tout, Cleo appela Harvey, le chef de la sécurité. Les articles consultés sur Internet n'offrant pas une garantie totale, elle préférait recourir au spécialiste de la maison en la matière.

— Bonjour Harvey. J'ai un travail urgent à vous confier.

— Allez-y.

— Je voudrais tout savoir sur Byron Maddox. Rassemblez le plus d'informations possible, s'il vous plaît.

Il ne s'agissait pas d'assouvir sa curiosité personnelle, mais bien plutôt de mener une enquête professionnelle, tenta-t-elle de se persuader.

— Byron Maddox ? Le fils de Lloyd ? demanda Harvey, apparemment surpris.

— Oui. J'ai un rendez-vous important avec lui demain. Pourriez-vous m'envoyer votre rapport par mail ce soir ? Avant 22 heures ?

— Vous pouvez compter sur moi — *patron*, ajouta-t-il d'un ton gentiment moqueur avant de raccrocher.

Cleo reposa le combiné en souriant. Elle aimait assez qu'on la prenne pour le patron. Ah, si elle avait eu quelques millions de dollars à sa disposition... Elle se serait volontiers proposée comme partenaire à Scott, au lieu d'essayer de convaincre Byron Maddox de s'impliquer.

La tentative était de toute façon vouée à l'échec. Aucun homme d'affaires sain d'esprit n'investirait dans l'industrie minière en ce moment. Mais puisque Scott l'avait chargée de trouver un partenaire et qu'elle avait sélectionné Byron, elle ferait de son mieux pour défendre les intérêts de son patron.

Elle aurait peut-être dû accepter cette invitation ridicule, se dit soudain Cleo. De toute évidence, Byron ne se rendait pas compte qu'elle ne ferait que l'embarrasser. Il s'imaginait peut-être qu'elle faisait partie de celles qui, après le travail, se métamorphosent en femmes fatales. Comme dans cette pub où l'on voyait une modeste secrétaire se transformer en vamp glamour d'un coup de baguette magique — ou plutôt de bâton de rouge à lèvres d'une marque célèbre.

En fait Cleo serait bien incapable d'opérer un tel miracle. Même si on lui en donnait les moyens. N'ayant jamais eu le sens de la mode et manquant totalement de savoir-faire en matière de coiffure et de maquillage, elle ne saurait comment s'y prendre. Elle n'y pouvait rien, c'était comme ça. Certaines femmes, comme Sarah, ont un sens inné de l'élégance et du chic. Elles savent d'instinct se mettre en valeur, même si elles ne disposent pas de grands moyens. Il leur suffit parfois de trois fois rien pour faire ressortir leurs atouts.

Mais cela n'avait jamais été le cas de Cleo. En outre, elle s'était toujours trouvée banale et mal proportionnée. Une bouche trop grande, des seins trop généreux, des hanches trop dessinées. Pas étonnant qu'elle ait été encore vierge quand elle avait rencontré Martin à l'université. Elle avait perdu la tête le jour où il lui avait dit qu'elle était très jolie, précisant qu'il appréciait particulièrement sa façon de s'habiller et le fait qu'elle se maquille à peine.

Plus tard, elle avait compris que Martin avait surtout apprécié qu'elle ne cherche pas à se mettre en valeur. Surtout lorsque son visage avait perdu ses rondeurs d'adolescente et que sa silhouette s'était affinée de façon assez spectaculaire.

Quoi qu'il en soit, il était trop tard aujourd'hui. Les dégâts étaient faits et l'amour-propre de Cleo avait souffert de son mariage. Elle s'était habituée à s'habiller avec une simplicité frisant l'austérité, se consolant avec la pensée que Martin l'aimait pour elle-même et non pour son look. En réalité, ses compliments avaient constitué un moyen pour lui d'exercer son contrôle sur elle.

Lorsqu'il était tombé malade, elle ne se préoccupait plus de son apparence depuis longtemps. Ce n'est que lorsque Scott l'avait embauchée comme assistante que Cleo avait fait un petit effort côté vestimentaire.

Effort pas vraiment concluant, à en juger par les femmes qu'elle avait rencontrées aujourd'hui. Elle repensa à Grace, à son élégance sobre et raffinée, tout en regrettant de ne pouvoir lui ressembler, ne serait-ce qu'un peu. Si elle l'avait pu, elle aurait accepté l'invitation de Byron. Et peut-être même se serait-elle laissée aller à imaginer une aventure sans lendemain avec lui…

Cleo rit à cette pensée. Les hommes somptueux comme Byron Maddox ne couchent pas avec des femmes ordinaires comme elle. Ils partagent leur lit avec des top models et des actrices superbes. Et puis, il devait être soulagé qu'elle ait refusé de l'accompagner à cette soirée — et elle aurait été stupide de s'attendre à ce qu'il renouvelle son invitation.

Laissant échapper un soupir résigné, Cleo souleva de nouveau le téléphone. Elle devait prévenir le comptable de la venue d'un confrère. Quand elle l'eut au bout du fil, il parut un peu agacé mais bon, elle n'y pouvait rien. Elle n'était pas non plus ravie de devoir s'envoler pour Townsville le lendemain matin. Sans doute à l'aube.

Parce que cette journée allait être un vrai supplice. Comment parviendrait-elle à se concentrer sur les enjeux professionnels en présence d'un homme détenant le pouvoir de faire naître en elle des sensations insensées ?

Au moment où elle refermait son ordinateur avant de quitter le bureau, son portable sonna. Et lorsqu'elle découvrit l'identité de l'appelant, elle sentit son cœur faire un drôle de bond dans sa poitrine.

— Bonsoir, Byron ! dit-elle d'une voix tendue. Il y a un problème, pour demain ?

— Pensez-vous toujours qu'il y a un problème, lorsqu'un homme vous appelle ?

— Cela dépend de l'identité de l'homme en question, répondit-elle sans réfléchir.

Mon Dieu, elle recommençait à flirter avec lui. Elle qui ne flirtait jamais avec quiconque.

Jusqu'à sa rencontre avec Byron Maddox.

Byron ne savait trop que penser. Peut-être Cleo n'était-elle pas aussi frustrée qu'il l'avait pensé, finalement.

Tant mieux, décida-t-il aussitôt.

— J'ai l'impression que vous avez connu des hommes difficiles, dit-il. Écoutez, je vous appelle parce que j'ai pensé que nous ferions mieux de passer la nuit à Townsville. Sinon, la journée risque d'être fatigante. Je vais demander à Grace de nous trouver un hôtel. Cela vous convient ?

Il n'envisageait pas de se livrer à une entreprise de séduction. Pas à Townsville, en tout cas. Il désirait seulement disposer d'un peu plus de temps pour connaître Cleo Shelton, qui l'intriguait de plus en plus.

— Pas de problème, dit-elle avec une pointe de réticence dans la voix.

— Parfait. Je passerai vous prendre à 7 heures, nous

devrions décoller à 8 h 30 au plus tard. Emportez de quoi vous changer pour le dîner, ajouta Byron, désireux de la voir en robe.

— À Townsville, on ne s'habille pas pour aller dîner, Byron, répliqua-t-elle d'un ton un peu brusque.

— OK. Je prendrai simplement un jean de rechange, alors. Et une chemise.

— Cela me semble parfait. Je ferai la même chose.

Si elle revêtait un jean moulant, il saurait s'en satisfaire. Pour le moment.

— Formidable. À demain matin, Cleo.

— À demain, je serai prête, dit-elle avant de raccrocher.

Grace avait eu raison : Cleo Shelton n'était pas du genre à être en retard, et maintenant il comprenait pourquoi. Elle ne passait pas des heures devant son miroir comme les femmes qu'il fréquentait habituellement.

De toute façon, il ne fréquentait pas Cleo. Il s'agissait d'un rendez-vous d'affaires, se répéta-t-il pour la énième fois. Lorsqu'elle accepterait enfin de l'accompagner chez sa mère — car il avait bien l'intention de renouveler sa proposition —, il ne serait pas surpris de découvrir une tout autre femme.

Il suffit parfois d'une robe, d'une coiffure différente, d'une paire de talons aiguilles…

Si elle l'accompagnait. D'une manière générale, Byron était un homme confiant. Pourtant, il lui arrivait de douter. Le départ de son père, alors qu'il venait d'avoir seize ans, l'avait en effet rendu méfiant. Parfois, la vie vous joue de sales tours et rien n'est jamais acquis. Voir son père quitter sa mère avait bouleversé son univers. Durant plusieurs mois, il s'était tenu éloigné de son père, jusqu'à ce que Rosalind, sa mère, lui avoue qu'elle avait été la cause du divorce. Elle avait eu une liaison avec un autre homme, de laquelle était née Lara, la sœur de Byron. Loin d'avoir des regrets, sa mère avait rendu son père responsable de sa propre trahison, arguant qu'il était toujours absent pour ses affaires, la laissant seule et abandonnée…

Comme si cela excusait l'adultère !

Elle avait confessé sa faute à son fils uniquement parce que Lloyd avait passé un accord avec elle : « Dis la vérité à Byron et je continuerai de reconnaître Lara comme ma fille. »

Lara ignorait que Lloyd n'était pas son géniteur et de son côté, Byron était redevenu proche de celui qu'il avait toujours admiré. Ils demeuraient étroitement liés, en dépit de la dispute phénoménale qui les avait opposés cinq ans plus tôt. Byron avait donné un conseil d'ordre financier à son père que celui-ci n'avait pas suivi, préférant écouter un imbécile obséquieux que Byron ne pouvait pas souffrir. Résultat : il avait coupé tout lien professionnel avec son père et monté sa propre entreprise, se concentrant sur la qualité des investissements plutôt que sur la quantité.

N'étant pas rancunier de nature, il s'était vite réconcilié avec son paternel, celui-ci devenant son meilleur ami et son confident. Lloyd connaissait notamment son désir de se marier et de fonder une famille, et lui avait justement conseillé une semaine plus tôt de rester intransigeant quant au choix de sa future épouse.

« Tu as besoin comme moi d'une partenaire indépendante sur le plan professionnel et financier, sinon tu la négligeras. Je me suis trop peu occupé de ta mère, parce qu'elle ne cherchait jamais à me tenir tête. Elle se contentait d'acquiescer à tout ce que je proposais et ce type d'attitude servile n'engendre pas le respect. Je ne l'ai jamais admirée davantage que lorsqu'elle m'a trompé. Je le méritais. »

Cette confession avait stupéfié Byron. Lloyd n'était pas homme à se remettre en question. D'une arrogance sans nom, il s'attendait toujours à ce que les choses aillent dans son sens.

Un peu comme toi, songea Byron.

Avec un soupir, il repensa à la femme à laquelle il allait devoir renoncer. Il ferait mieux de se concentrer sur sa quête d'une épouse appropriée au lieu de songer à s'adonner à une passade avec Cleo Shelton. Parce qu'il ne s'agirait que de cela, une simple aventure sans lendemain.

Mais après tout, sa recherche de la femme idéale pouvait bien attendre. Cela ne faisait que six semaines qu'il avait rompu avec Simone et il lui fallait encore un peu de temps pour se remettre de sa déception de s'être trompé une fois de plus. Par conséquent, autant réconforter son ego blessé en s'autorisant à approcher de plus près cette mystérieuse brune dont il devinait la nature sensuelle sous ses dehors stricts et sévères. Il n'avait pas rêvé : elle avait flirté avec lui au téléphone, tout à l'heure.

Rasséréné, Byron se leva de son fauteuil pour aller demander à Grace de leur trouver un hébergement potable à Townsville.

— Alors finalement, vous passez la nuit là-bas avec Cleo, fit-elle d'un air entendu.

— Très drôle, Grace. Contentez-vous de vous occuper de la réservation, d'accord ?

— Motel ou hôtel ?

— Peu importe. Mais assurez-vous qu'il y a un bon restaurant sur place. Nous serons trop fatigués pour sortir.

— Qu'en pense Cleo ? demanda Grace en se concentrant sur son écran d'ordinateur.

— Elle n'a pas l'air très emballée, répondit-il avec franchise. Mais elle n'avait pas vraiment le choix : si elle veut que j'investisse, elle doit jouer le jeu.

Grace tourna les yeux vers lui.

— Quelque chose me dit qu'elle n'est pas du genre à jouer à cette sorte de jeu.

— Je ne comprends pas de quoi vous parlez, Grace.

— Vous le savez très bien, au contraire. Cleo Shelton n'est pas comme les femmes que vous fréquentez d'habitude.

— Ah, et comment sont-elles, les femmes que je fréquente d'habitude ?

— Je peux vous parler franchement, sans prendre le risque de perdre mon job ?

— Je vous en prie.

Si son père appréciait les assistants obséquieux, Byron avait toujours encouragé Grace à user de franchise avec lui.

— Très bien. Vous vous êtes habitué à fréquenter des femmes qui satisfont tous vos caprices. Malheureusement, la plupart d'entre elles ont une alliance en tête quand elles vous murmurent que vous êtes merveilleux. Vos deux ex-fiancées étaient peut-être d'une beauté éblouissante, mais sous le vernis se cachaient les créatures les plus creuses, les plus superficielles, les plus égoïstes et les plus insensibles que j'aie jamais rencontrées.

— Je le sais, merci, Grace, répliqua-t-il, choqué par l'acuité de ses remarques. Et… ?

— Cleo Shelton n'est rien de tout cela. C'est vraiment une femme *bien.*

— Je peux vous demander d'où vous vient cette certitude ? Vous l'avez vue cinq minutes.

— J'en suis certaine, c'est tout. Appelons cela de l'intuition féminine, dit-elle avec une pointe dure dans la voix. Je détesterais vous voir jouer avec ses émotions. Vous êtes un homme suprêmement séduisant, Byron. Même sans votre fortune, vous tourneriez la tête à n'importe quelle femme.

— J'en connais au moins une qui ne s'est pas laissé tourner la tête par mon suprême pouvoir de séduction, riposta-t-il en foudroyant Grace du regard.

— En effet. Je suis très heureuse avec mon mari. Et j'ai rencontré suffisamment d'hommes riches dans ma vie pour savoir qu'ils ne sont pas pour moi, même quand ils sont d'une beauté scandaleuse et exsudent un charme dévastateur.

Il ne s'agissait pas d'un compliment, comprit Byron en tressaillant.

— J'ai remarqué que Cleo portait une alliance, poursuivit-elle. J'espère que cela ne vous a pas échappé non plus.

— Non, je l'ai vue, répliqua-t-il en s'efforçant de ne pas prendre un ton condescendant. Mais vous n'avez rien à craindre : votre ignoble patron ne risque pas de jouer avec les émotions d'une femme mariée : Cleo est veuve.

Ravi d'avoir eu le dernier mot, il se détourna pour regagner son bureau et referma fermement la porte derrière lui.

6.

Byron baissa les yeux sur le petit sac de voyage que Cleo avait posé à côté de la porte.

— Vous n'en aurez pas besoin, dit-il. Je me suis souvenu hier soir que je devais être à Sydney demain matin, pour un rendez-vous important. Désolé. S'il n'avait pas été aussi tard, je vous aurais appelée pour vous prévenir.

Cleo s'effaça pour le laisser entrer, sans trop savoir si elle était soulagée ou déçue. En tout cas, elle avait perdu un temps fou à choisir quoi emporter pour le dîner. Elle possédait bien deux robes mais aussi démodées l'une que l'autre, et assez défraîchies. Finalement, elle avait opté pour le pantalon bleu marine acheté une semaine plus tôt et emprunté un chemisier rose pâle à Doreen. Ce n'était pas fantastique, mais mieux que les robes.

Doreen lui avait posé quelques questions concernant Byron, auxquelles Cleo avait répondu d'un ton dégagé en concluant qu'il était le célibataire milliardaire type. « Vous voyez le genre. Il se croit irrésistible. »

Le problème, c'était que Byron l'était vraiment. La veille, elle l'avait trouvé somptueux dans son élégant costume gris, mais aujourd'hui, en jean bleu délavé, polo blanc et veste en cuir noir, il était d'une beauté renversante. Et follement sexy.

— OK, dit-elle. Je vais chercher mon sac à main.

Elle fourra son smartphone dans celui-ci en songeant au rapport détaillé envoyé par Harvey, mais dont elle n'avait fait que survoler le contenu. Pas de grosse surprise, apparemment. Elle le lirait en détail durant le vol. De toute façon, elle demeurait convaincue que ce voyage était une perte de temps. Byron ne s'associerait jamais avec Scott, c'était évident. Mais elle devait essayer jusqu'au bout de le persuader. Et puis, si elle était honnête envers elle-même, Cleo devait reconnaître qu'elle *désirait* passer cette journée avec Byron.

— Prête ? demanda-t-il comme elle revenait vers lui.

Ce ne fut qu'à cet instant que Cleo remarqua qu'il avait l'air fatigué et que des cernes foncés soulignaient ses yeux. Il s'était sans doute couché très tard, se dit-elle en le suivant dans la rue. Avec une créature superbe. Cette pensée lui déplut, ce qui était ridicule. Byron était libre d'agir selon son bon plaisir, d'autant plus qu'il avait rompu ses fiançailles.

Mais le fait de l'imaginer avec une femme continua de la travailler, lui laissant une sensation désagréable encore jamais éprouvée. De jalousie ? Non, plutôt d'envie…

— Je n'ai pas pu trouver de place, dit Byron en se dirigeant vers sa Lexus garée en double file. Mais peu importe. Apparemment, je n'ai gêné personne.

— Non, répliqua Cleo derrière lui. Il n'y a pas grand monde dehors, à cette heure-ci.

Il déverrouilla la portière et la laissa s'installer sur le siège en cuir gris perle. Pourquoi cette femme l'attirait-elle autant ? Sa tenue n'était pas plus élaborée que la veille. Jean foncé pas même ajusté, nouveau chemisier blanc sous la même veste noire à la coupe quelconque. Toujours aucun maquillage ou parfum. Quant à sa coiffure… Il brûlait de défaire cet horrible chignon qui semblait soudé à la nuque de Cleo.

Pourtant, elle avait de beaux cheveux. Sombres, épais et brillants. Et naturellement ondulés. Il les imagina caressant ses fines épaules, adoucissant son visage aux traits délicats.

Ou étalés sur un oreiller…

Serrant les mâchoires, Byron referma la portière et contourna le véhicule pour aller s'installer au volant. S'il était furieux de ne pouvoir contrôler ses pensées — et sa libido — en présence de Cleo Shelton, il était déterminé à y parvenir.

Après avoir quitté le bureau la veille et être remonté chez lui, il n'avait pu chasser de son esprit les remarques déplaisantes de Grace. Il n'était pas un salaud, bon sang ! Habitué à arriver à ses fins, certes. Mais jamais aux dépens d'autrui.

Séduire Cleo — parce que au fond, il s'agissait de cela —, n'aurait pas été très galant de sa part. Et il ne l'aurait pas fait pour lui rendre service comme il s'en était d'abord persuadé, mais parce qu'il la désirait comme un fou.

Dire qu'il avait failli oublier son rendez-vous avec Blake ! Mais cela lui avait donné une bonne excuse pour annuler la nuit à l'hôtel. Incapable de trouver le sommeil, Byron en avait profité pour effectuer des recherches plus avancées concernant McAllister Mines, notamment sur la raffinerie de nickel. Il avait découvert sans surprise que celle-ci allait droit à la faillite. Le prix du nickel s'était effondré et ne remonterait pas de sitôt. Après avoir lu un article détaillé sur la question, il avait failli appeler Cleo pour annuler le voyage, mais sans pouvoir se résoudre à le faire.

Après s'être inventé toutes sortes de prétextes, il s'était avoué qu'il brûlait de la revoir — en dépit de sa résolution de ne pas la séduire. Ce qui relevait du pur masochisme...

— Alors, qu'est-ce que c'est, ce rendez-vous important que vous aviez oublié ? demanda-t-elle lorsqu'il prit la direction de l'aéroport.

— Je dois aller jouer au golf, soupira Byron.

— Au *golf* ! répéta-t-elle d'un ton incrédule.

— Je sais ce que vous pensez. Que cela ne ressemble pas à un rendez-vous d'affaires. Mais croyez-moi, c'est bien de cela qu'il s'agit. Je déteste le golf, ça me rend dingue !

Uniquement parce qu'il n'était pas doué pour ce sport.

— Pourquoi y jouez-vous, dans ce cas ?

— Parce que Blake Randall aime traiter ses affaires sur un terrain de golf.

— Qui est Blake Randall ?

— Un producteur de cinéma. Il a créé sa boîte, Fantasy Productions. Vous avez vu *The Boy from the Bush* ?

— Oh oui. J'ai adoré ce film.

— C'est lui qui l'a réalisé. Mais depuis, il s'est lancé dans la production et Hollywood l'appelle — la grande aventure !

— Et si je comprends bien, vous désirez y participer ?

— Exactement.

— J'aurais pensé que l'industrie du cinéma était encore plus risquée que l'industrie minière, fit remarquer Cleo.

— Tout dépend de qui est aux commandes. Blake est un véritable génie.

— Et vous parlez en connaissance de cause, dit-elle au moment où il s'arrêtait à un feu rouge.

Stupéfait, il tourna la tête vers elle.

— Un compliment ? Je ne vous connais pas beaucoup, mais quelque chose me dit que ce n'est pas dans vos habitudes.

Elle s'empourpra, la rougeur donnant un éclat nouveau à son visage, tandis qu'une touche de vulnérabilité traversait son regard. Byron dut faire un effort pour ne pas se pencher et l'embrasser. Heureusement, le feu passa au vert.

— Non, en effet, dit-elle, la voix un peu rauque. Mais je détesterais que Scott pense que je n'ai pas tout tenté pour vous convaincre. Il a vraiment besoin d'un nouvel associé, et comme vous pouvez l'imaginer, les investisseurs ne se bousculent pas.

Intéressant. Qu'entendait-elle au juste par *tout tenter* ? Peu importait, après tout. En aucun cas, il ne devait profiter de la situation.

— Dans ce cas, répliqua-t-il, vous pourriez peut-être reconsidérer mon invitation à m'accompagner chez ma mère samedi soir ? Non seulement cela m'aiderait énormément, mais d'ici là, mon comptable m'aura remis son rapport et je pourrai vous donner ma réponse définitive.

— J'aimerais vraiment vous accompagner, répliqua-t-elle avec un soupir. Mais je ne peux pas.

— Pourquoi cela ?

— Oh ! pour l'amour du ciel, regardez la réalité en face !

Dès que votre mère vous verra avec moi, elle se demandera si vous avez perdu la tête. Personne ne croira une seule seconde que je puisse être votre petite amie.

— Vous pouvez m'expliquer pourquoi ?

Nouveau soupir. Encore plus las que le précédent.

— Vous le savez très bien, Byron. S'il existait une police de la mode, je serais en prison à l'heure qu'il est.

— Ne soyez pas ridicule, riposta-t-il en fronçant les sourcils. Avec la robe adéquate, le maquillage et la coiffure appropriés, vous seriez la star de la soirée.

— Vous divaguez, je crois. Quoi qu'il en soit, je ne l'ai pas, la robe *adéquate*. Et je n'y connais rien en coiffure ou en maquillage.

— Comment est-ce possible ? demanda Byron, sincèrement perplexe. La plupart des filles se préoccupent de ce genre de choses dès leur plus jeune âge. Prenez ma sœur Lara, par exemple. Elle s'entraîne à se maquiller depuis l'âge de dix ans, même si ma mère a tout fait pour l'en empêcher. Idem avec les cheveux, les colorations. Son dernier choix est le bleu — imaginez un peu… Quant au shopping, c'est son occupation favorite.

— Quel âge a-t-elle ? demanda Cleo.

— Dix-neuf ans.

— J'en ai *vingt*-neuf, Byron.

— Six de moins que moi, donc. Vous êtes jeune, Cleo, alors plutôt que de me raconter des histoires, dites-moi pourquoi vous ne vous intéressez pas à ce qui fascine vos congénères. Allez, j'attends !

Elle tourna la tête vers lui en roulant les yeux.

— On ne vous a jamais dit que vous aviez un petit côté despotique ?

— Pas que je me souvienne, fit-il d'un ton nonchalant.

— Parce que les gens n'osent pas ! s'exclama-t-elle en riant franchement. OK, puisque vous tenez tellement à le savoir… J'étais fille unique, et timide. Mes parents ont été tués dans un accident de voiture alors que j'avais treize ans, si bien que j'ai été élevée par mes grands-parents, âgés et très vieux jeu. Ma grand-mère m'interdisait formellement de me maquiller et de porter des vêtements faisant outrage aux bonnes mœurs, comme elle se plaisait à le répéter. Quant à Martin, mon mari, il appréciait ma façon de m'habiller et le fait que je ne me maquille jamais. Alors, je n'ai pas eu envie de changer.

Ce Martin avait dû être bien triste...

— Aimez-vous vous regarder dans un miroir, Cleo ?

— Je sais que je pourrais me mettre davantage en valeur, répondit-elle, le menton haut.

Un nouveau soupir lui échappa.

— Mais comme je vous l'ai dit, j'ignore comment faire.

— Demandez de l'aide, conseilla Byron avec un brin d'impatience. Faites appel à un professionnel qui choisira avec vous une nouvelle garde-robe. Et dans tout institut de beauté qui se respecte, on vous expliquera comment vous maquiller et vous coiffer. Il suffit que vous décidiez de le faire, Cleo.

— À quoi bon ? demanda-t-elle d'un ton résigné.

— Cela vous permettrait notamment de prendre confiance en vous, et de ne pas repousser un homme qui vous invite à sortir avec lui ! À moins que vous ne souhaitiez passer le restant de vos jours enfermée chez vous, tous les soirs et même les week-ends ? Parce que c'est ce que vous faites, n'est-ce pas ?

En renonçant à toute vie sexuelle.

— Je vais en toucher un mot à Grace, reprit-il. Elle saura vous conseiller. Je lui demanderai de vous appeler demain.

— Mais je...

— Pas d'objections, la coupa-t-il. Vous m'accompagnerez à cette soirée, point final !

Et tant pis s'il passait pour un despote à ses yeux.

Cleo aurait dû protester. Byron piétinait sans pitié ses émotions. Sa vie. Elle aurait dû lui tenir tête, comme elle le faisait d'ordinaire face à ce type d'attitude. Mais au fond, il ne l'avait pas offensée. Aussi retint-elle les objections qui lui montaient aux lèvres — objections qu'il aurait de toute façon réfutées en deux secondes — et fit de son mieux pour garder un air détaché. En réalité, elle tremblait presque d'excitation. Parce qu'elle *désirait* l'accompagner. La seule chose qui l'en empêchait était la crainte de se ridiculiser devant tout le monde, et devant Byron en particulier.

— J'appellerai Grace de l'avion, dit-il soudain. Elle n'est pas encore arrivée au bureau, à cette heure-ci, et je ne voudrais pas la déranger chez elle.

Comme Cleo demeurait silencieuse, il se tut lui aussi.

— Vous ne souhaitez pas vous remarier, Cleo ? demanda-t-il soudain, la faisant sursauter.

— Non, répondit-elle brièvement.

Elle n'avait pas à lui donner d'explications. Et puis, elle n'était pas la seule veuve à ne pas souhaiter se remarier. Doreen, tout comme elle, craignait de retomber sur un maniaque du contrôle comme Martin ou son père.

— Et les enfants ? Vous ne désirez pas en avoir ?

Oh si, elle en avait rêvé. Autrefois. Jusqu'à ce qu'elle se rende compte que sa vie deviendrait un enfer, si elle devenait mère au foyer. Ses enfants et elle auraient alors dû se plier à toutes sortes de règles et de restrictions sans fin.

— J'ai désiré en avoir, reconnut Cleo. Mais Martin tenait absolument à terminer de rembourser l'emprunt immobilier d'abord, afin que je puisse m'arrêter de travailler quand je tomberais enceinte. Son cancer a été diagnostiqué avant que ce soit possible. Et comme je ne souhaite pas me remarier, je n'envisage plus d'en avoir.

— Vous n'êtes pas forcée de vous marier pour avoir un enfant, fit remarquer Byron.

À vrai dire, cette éventualité ne l'avait jamais traversée. En fait, avoir un enfant sans père ne la tentait vraiment pas.

— Je ne veux pas élever seule un enfant.

— Je vous comprends. Ah, nous sommes arrivés.

Elle fut ravie d'en rester là. Avec un peu de chance, Byron n'aborderait plus le sujet du mariage et des enfants.

Se concentrant sur le superbe jet qui les attendait sur le tarmac, elle se retint de s'extasier.

— Pas mal, hein ? fit Byron en lui tendant la main pour l'aider à sortir de voiture. C'est un Gulfstream.

Médusée, Cleo avisa le tapis rouge conduisant aux quelques marches appuyées contre le flanc du jet racé.

— Oui, pas mal, acquiesça-t-elle d'un ton détaché.

Après avoir gravi les marches métalliques, elle s'efforça de garder ses impressions pour elle, tandis qu'elle découvrait l'intérieur du jet, d'un luxe inouï. Éblouie, elle promena son regard sur les sièges en cuir ivoire, certains d'entre eux entourant des tables en noyer satiné, le home cinéma ainsi qu'une cuisine stylée et parfaitement équipée. La rejoignant, Byron lui montra une salle de bains incroyablement spacieuse, au-delà de laquelle Cleo aperçut une chambre décorée dans des tons allant du beige clair au brun sombre.

— Cet appareil a dû vous coûter une petite fortune !

— Pas un cent, répliqua Byron en souriant. Ce jet appartient à mon père. Comme il se trouve en Australie en ce moment, il me le prête. Alors, j'en profite. Mais ce luxe est un peu excessif, vous ne trouvez pas ?

— Oh non, je trouve ce jet fabuleux ! s'exclama-t-elle sans plus refréner son enthousiasme.

Byron plissa légèrement les paupières.

— Ravi qu'il vous plaise, Cleo. Bon, installons-nous et attachons nos ceintures : nous n'allons pas tarder à décoller.

Lorsque Cleo eut choisi un siège côté hublot, Byron s'assit au même niveau qu'elle, de l'autre côté de l'allée.

— Il n'y a personne pour nous servir à boire, hélas, soupira-t-il. Dès que nous aurons atteint notre vitesse de croisière, j'irai nous chercher quelque chose à la cuisine. Je n'ai encore rien avalé aujourd'hui.

— Ce n'est pas bien, répliqua-t-elle. Le petit déjeuner est le repas le plus important de la journée.

— Dans ce cas, je ne suis pas un type bien, parce que je mange rarement le matin. Il faut dire que je me couche souvent tard. Et dîne tard.

Byron était aussi beau de profil que de face, constata Cleo, troublée. Durant le trajet en voiture, elle l'avait regardé discrètement, admirant le haut front lisse, le nez droit, la pommette légèrement saillante, la mâchoire volontaire. Et cette belle bouche sensuelle dont la vue la troublait de plus en plus.

— N'oubliez pas d'appeler Grace, lui rappela-t-elle.

Maintenant qu'elle avait accepté de l'accompagner à cette soirée, elle voulait être la plus présentable possible.

Il esquissa un sourire moqueur.

— Je n'oublierai pas, promis.

Lorsque le jet prit de la vitesse sur la piste puis décolla, Cleo agrippa le bras de son fauteuil. Elle n'avait pas peur de voyager en avion, mais n'aimait pas le moment du décollage. Tournant la tête vers le hublot, elle contempla Sydney. C'était vraiment une belle ville. Bientôt, le jet survola l'océan et ils se retrouvèrent entourés de nuages.

Le signal lumineux s'éteignit, et Byron se leva pour aller chercher quelque chose à boire. Une minute plus tard, il revenait avec une bouteille de champagne et deux flûtes.

— Ne me dites pas que c'est tout ce que vous allez prendre ? fit-elle en le regardant verser le champagne.

— Vous faites partie de la police des repas ? demanda-t-il en remplissant la deuxième coupe.

— Très drôle.

— Un vol en première classe débute toujours par un verre de champagne. Et ne me dites pas que vous n'aimez pas cela, parce que je ne vous croirai pas.

— J'aime beaucoup le champagne.

— Parfait. Alors buvez.

Comme elle s'y attendait, le champagne s'avéra délicieux, et sans doute aussi cher que le moindre accessoire se trouvant à bord du jet.

Appuyant la nuque au repose-tête en cuir, Byron porta sa flûte à ses lèvres et en but une gorgée, l'air songeur.

— Si vous étiez à ma place, vous investiriez dans McAllister Mines ? dit-il en regardant Cleo.

— C'est déloyal, comme question, répondit-elle avec un léger sourire. Et vous le savez très bien.

— Quand il s'agit d'affaires, on est rarement loyal, Cleo.

— Scott fait toujours preuve de loyauté quand il négocie.

— D'où la cause de ses difficultés financières, peut-être, répliqua-t-il. De nos jours, il faut être impitoyable, pour survivre dans le monde des affaires.

Sa réaction déçut Cleo. Pourtant, elle aurait dû prévoir qu'il serait aussi dur que son père. Il lui faudrait lire plus attentivement le rapport de Harvey. Car si Byron était incroyablement séduisant et charmant, il n'en était pas moins le fils de Llyod Maddox.

Reposant sa flûte presque vide sur le support situé à portée de l'accoudoir, elle se pencha pour sortir son téléphone de son sac posé à ses pieds.

— Cela vous dérange, si je travaille un peu ? demanda-t-elle en se redressant. Je dois vérifier mes mails et en envoyer quelques-uns.

Mensonge. Mais ne devait-elle pas se montrer impitoyable, elle aussi, pour accomplir au mieux la mission que son patron lui avait confiée ?

— Allez-y, je vous en prie. Je vais faire un petit somme.

Le rapport lui apprit peu de détails qu'elle ne connaissait déjà. Né dans une clinique privée de Sydney, Byron était resté fils unique jusqu'à la naissance de sa sœur, Lara Audrey. Il portait en second prénom celui de son grand-père Augustus, qui avait été propriétaire d'un quotidien dans les années 1950. Études au prestigieux Riverview College, major de sa promotion, capitaine de plusieurs équipes sportives. C'était un bon négociateur. Ou menteur. Ou les deux.

Après le lycée, il s'était accordé une pause d'un an pour voyager en Europe, aux États-Unis et en Amérique du Sud, achevant son périple à New York, où il avait fêté Noël avec son père. Ses parents étaient déjà divorcés, à ce moment-là. À l'amiable, apparemment. Une fois de retour en Australie, le jeune Byron de dix-neuf ans avait commencé à préparer un diplôme commercial à l'université de Sydney, ne faisant pas grand-chose durant la première année avant de se rattraper ensuite et d'obtenir de bons résultats dans toutes les matières. Mais sans plus, remarqua Cleo. Peut-être parce qu'il avait été très pris par sa vie sociale. D'après un étudiant qui l'avait bien connu — comment Harvey avait-il pu le dénicher en si peu de temps ? —, Byron avait eu *beaucoup* de succès auprès des femmes. Et il ne s'était pas gêné pour les accueillir dans sa chambre du campus, au mépris total du règlement.

Raison de plus pour garder la tête froide, décida-t-elle en poursuivant sa lecture. Et ne pas sous-estimer Byron, sur le plan professionnel ainsi que dans tous les autres domaines. Il affirmait désirer se marier et fonder une famille mais à en juger par son passé, il avait longtemps fui toutes celles qui se voyaient déjà passer la bague au doigt.

Tout cela, Cleo le savait déjà, aussi passa-t-elle à la partie du rapport concernant les détails professionnels et financiers. Ils confirmèrent ce qu'elle pensait. Aucun investissement dans l'industrie minière. Byron s'impliquait principalement dans l'immobilier, commercial et privé. Il était également question de plusieurs aéroports, de stations touristiques, de villages et maisons pour retraités. Rien côté boursier. Par ailleurs, il avait investi dans deux films — avec profit dans les deux cas. Rien non plus en matière d'investissement à haut risque.

Une fois encore, elle se demanda comment Harvey avait pu rassembler autant d'informations en un délai aussi court. Scott avait raison de le considérer comme un génie de l'informatique. D'autant plus que Harvey n'était plus tout jeune.

Cleo leva les yeux de son smartphone pour regarder Byron. Les bras croisés, il semblait dormir profondément.

Seulement quarante minutes de passées, constata-t-elle en consultant sa montre. Encore deux heures de vol.

— Je ne dors pas, dit Byron en soulevant les paupières. Je n'y arrive jamais, en avion.

— Moi non plus.

Bien qu'elle ne l'ait pas pris souvent. Et seulement pour des vols intérieurs.

— Venez, allons regarder un film, dit Byron en se levant.

— Un film ? répéta-t-elle en prenant la main qu'il lui tendait.

— Mon père a tous ceux qui sont sortis récemment. Il est très impliqué dans l'industrie cinématographique et les chaînes télévisées, désormais. D'où le home cinéma qui lui permet de visionner les dernières sorties pendant qu'il traverse le Pacifique.

Cleo se concentra sur ses paroles, tâchant d'ignorer la chaleur qui se diffusait dans sa main, se propageait dans son bras…

— Si je comprends bien, il ne dort pas beaucoup non plus en avion, dit-elle en suivant Byron.

Il l'entraîna vers un long sofa installé devant l'immense écran plat.

— Non, acquiesça-t-il en glissant un DVD dans le lecteur. Mais il y a du nouveau dans sa vie. Il m'a confié que sa femme lui manque terriblement, depuis qu'il l'a quittée pour se rendre en Australie. Alexandra ne voulait pas emmener leur bébé aussi loin pour à peine deux semaines — mon père est venu ici pour s'occuper de la vente de son manoir. La prochaine fois qu'il viendra à Sydney, il descendra à l'hôtel.

Il appuya sur une touche de la télécommande.

— C'est une comédie romantique qu'un rival de mon père a produite l'an dernier. Le film n'est pas encore sorti en salle, mais toute la presse en parle déjà. Nous l'avons vu lui et moi, et aucun de nous ne l'a aimé. J'aimerais avoir un avis féminin. Commencez à le regarder, je vais nous chercher quelque chose à grignoter.

— D'accord, dit Cleo, heureuse de pouvoir se changer les idées.

Naïvement, elle s'était mis en tête que Byron appréciait sa compagnie. Qu'il ne l'avait pas invitée à l'accompagner chez sa mère uniquement pour qu'elle lui serve de rempart contre ses nombreuses prétendantes. Pis, elle s'était imaginé qu'il pouvait être attiré par elle.

Elle avait pris ses rêves pour la réalité. Comment Byron

Maddox pourrait-il être attiré par une femme comme elle ? Ses ex-fiancées étaient splendides, et même si Grace réussissait à opérer un miracle, jamais elle n'arriverait à la cheville d'un top model ou d'une actrice sublimes.

Elle baissa les yeux sur son vieux jean et sa veste noire, regrettant de n'avoir rien trouvé de mieux à se mettre. Après avoir pensé que ce serait parfait pour cette petite expédition, elle se trouvait maintenant affreusement mal habillée.

Subitement, Cleo se promit de renouveler complètement sa garde-robe. Elle demanderait conseil à Grace non seulement pour le choix d'une robe destinée à la soirée d'anniversaire, mais aussi pour tout le reste, y compris les vêtements qu'elle portait pour aller travailler.

— Qu'en pensez-vous, pour l'instant ? demanda Byron en revenant avec un énorme bol de pop-corn.

— Ça va.

Elle contempla le bol en haussant les sourcils.

— Parfaitement équilibré, comme petit déjeuner.

Comme il lui souriait, elle sentit un frémissement la parcourir, mais se concentra aussitôt sur le film. Dieu merci, Byron fit de même. Il resta silencieux jusqu'à ce que le générique se déroule sur l'écran.

— Alors ? demanda-t-il en reposant le bol vide.

— Très ordinaire. C'est une version médiocre de *Pretty Woman*, avec des acteurs incapables de rivaliser avec Richard Gere et Julia Roberts.

— Waouh ! fit Byron en la dévisageant. Ni mon père ni moi n'avions réussi à mettre le doigt sur ce qui n'allait pas...

— Ce n'est que mon avis. Quelqu'un d'autre pourrait avoir un point de vue différent — et ce film pourrait très bien marcher aux États-Unis, je pense. Personnellement, je n'ai jamais été fan des gags type tarte à la crème. Je trouve ça vraiment trop facile. Le comique doit venir des personnages, pas du fait qu'une fille laisse tomber une tasse de café brûlant sur l'entrejambe d'un type. Je ne vois vraiment pas ce qu'il y a de *comique* là-dedans ! Et puis, l'intrigue est mal ficelée et artificielle. Qui pourrait croire que ce milliardaire vient prendre son petit déjeuner tous les matins dans un café aussi miteux ? Et puis, le dénouement est absurde. Au lieu que l'héroïne soit transportée dans un monde de luxe et de glamour, c'est lui qui s'abaisse à son niveau. Franchement, je doute que ce film ait du succès. Quel en est le titre, déjà ?

— *La Fille du café,* répondit Byron en souriant.

— Vous plaisantez.

— Non. Ils ont dû miser sur le succès des films récents qui contiennent le mot *fille.*

— Il s'agissait de thrillers, pas de comédies romantiques !

— Je sais. Que choisiriez-vous, comme titre ?

— Je n'en ai aucune idée. De toute façon, même un titre alléchant ne sauverait pas ce film. Le seul point positif, c'est la bande-son.

— Mon père devrait vous embaucher comme consultante, Cleo ! Sinon, je vous embauche. En tout cas, vous gâchez vos talents en travaillant pour une société minière.

— Mais j'adore travailler pour Scott, protesta-t-elle, tout en savourant le compliment de Byron.

— Vous pourriez travailler pour nous deux, à mi-temps. En dehors des horaires de bureau, ajouta-t-il.

Son regard était si éloquent que Cleo en sentit l'impact au plus intime de son corps.

— Nous avons commencé la descente, monsieur Maddox, dit soudain la voix du pilote dans l'interphone. Vous pouvez rattacher vos ceintures.

— J'ai le temps de passer à la salle de bains ? demanda-t-elle précipitamment, le cœur battant à tout rompre.

— Bien sûr.

Dix minutes plus tard, ils avaient atterri. L'avion, du moins. Parce que Cleo, elle, flottait toujours là-haut, sur un nuage. Et lorsque Byron lui posa une main dans le dos pour la guider dans l'allée centrale, elle sentit une onde de chaleur la traverser.

Elle tourna la tête vers lui, et durant un moment, leurs

regards restèrent rivés l'un à l'autre. Il lui fallut quelques secondes pour reprendre ses esprits.

— Il fait plutôt chaud ici, vous ne trouvez pas ? demanda-t-elle avec un sourire poli.

Puis ils sortirent de l'appareil. Un véhicule de location les attendait sur le tarmac brûlant.

7.

Grace leur avait réservé un 4x4 tout-terrain gris métallisé aux sièges en cuir gris foncé, conduit par un chauffeur prénommé Lou qui s'avéra particulièrement bavard, mais pas désagréable. De toute façon, c'était aussi bien que l'homme entretienne la conversation, parce que Cleo avait sombré dans un étrange mutisme depuis qu'ils s'étaient installés à l'arrière du véhicule.

Byron avait beaucoup aimé bavarder avec elle à bord du jet. Il avait adoré la voir sourire, les yeux pétillants.

À présent, elle avait repris son attitude professionnelle et distante, se concentrant sur le paysage sans se préoccuper de lui. Décidément, cette femme était une énigme. Ce qui l'agaçait. D'habitude, il devinait bien les pensées des femmes.

Enfin, il l'avait cru. S'il avait été plus clairvoyant, il aurait compris plus tôt qu'Eva et Simone, bien qu'ayant chacune une carrière et n'étant pas vraiment dans le besoin, en voulaient davantage. Et qu'une fois mariée, l'une ou l'autre aurait refusé de lui donner les enfants dont il rêvait. Eva aurait argué qu'elle ne pouvait prendre le risque de voir changer son corps. De son côté, Simone aurait *peut-être* consenti à une grossesse, voyant là une garantie financière. Avec un enfant, elle aurait obtenu un arrangement plus lucratif au moment du divorce qu'elle aurait fini tôt ou tard par demander.

— Vous voulez sans doute manger un morceau avant d'arriver à la raffinerie ? demanda Lou une fois qu'ils eurent quitté l'aéroport. À moins que vous n'ayez déjeuné à bord ?

— Non, nous avons seulement grignoté, dit Byron. Mais

nous n'avons pas le temps de nous attarder. Vous avez un endroit en tête ?

— Oui, un petit café très sympa à la sortie de Townsville. Il y a rarement du monde et ils font un super sandwich club. Et leur café est vraiment excellent. Ça vous irait ?

— Qu'en dites-vous, Cleo ? demanda Byron, la contraignant ainsi à se tourner vers lui.

— Ça me paraît idéal, répondit-elle d'un ton guindé.

Il la regarda en silence, perplexe. Qu'avait-il bien pu faire pour provoquer ce changement en elle ?

Au café — aussi *sympa* que l'avait décrit Lou —, elle garda la même attitude distante, mangeant lentement son sandwich, tandis que Byron dévorait le sien. Heureusement qu'il avait insisté pour que Lou prenne quelque chose avec eux, parce que sinon, il aurait eu du mal à supporter son silence buté.

— J'ai bossé là-bas, à la raffinerie, dit Lou après avoir terminé son sandwich.

Byron reposa le peu qu'il restait du sien.

— Et ? demanda-t-il.

— C'était formidable, comme boulot.

— Pourquoi êtes-vous parti, alors ? insista Byron.

Cleo reposa à son tour son sandwich et leva les yeux.

— J'ai compris dès les premiers signes, répondit Lou. Plus de prime de Noël. La chute des prix. L'air inquiet du patron. Alors j'ai quitté le navire avant le naufrage.

— Je vois, fit Byron. Si je comprends bien, vous ne me conseillez pas de monter à bord à ce stade ?

Lou le dévisagea un instant, les yeux écarquillés.

— Hé, ne me dites pas que vous envisagez de la racheter ?

— Je ne sais pas encore.

— Mince alors ! On m'avait dit que vous étiez réalisateur de cinéma. Alors je pensais que vous veniez ici parce que vous cherchiez un endroit où tourner un film, pas pour investir dans le nickel.

Byron sourit.

— Désolé de vous décevoir, Lou.

Celui-ci les regarda tour à tour, lui et Cleo.

— J'espère que je n'ai pas fait de gaffe, dit-il à la hâte.

— Pas du tout, le rassura Byron. Je savais déjà que la raffinerie traversait une passe difficile. Mais c'est toujours intéressant d'avoir l'avis de quelqu'un qui connaît la situation de l'intérieur. Et j'aime bien votre idée de tourner un film ici. J'y réfléchirai sérieusement, croyez-moi.

— Super !

— Buvez votre café, maintenant, reprit Byron en soulevant sa propre tasse. Il est temps de reprendre la route.

La route en question n'était pas trop mauvaise et traversait un paysage désolé s'étalant à l'infini, complètement nu. Jusqu'à ce qu'apparaissent de grands monticules de terre, puis la raffinerie au-dessus de laquelle s'élevaient de hautes cheminées — d'où ne sortait aucune fumée.

Après avoir franchi les barrières de sécurité, ils longèrent toutes sortes de bâtiments plus ou moins en bon état. Sur l'un d'eux, Byron lut l'inscription « Cantine ».

Le directeur de la raffinerie les reçut avec chaleur, mais Byron ne fut pas dupe de son apparente bonhomie, sous laquelle il devinait une inquiétude patente. Le tour rapide des lieux fut accompagné de quantité d'excuses visant à expliquer l'arrêt exceptionnel de toute activité pour la journée. Cleo ne les avait pas suivis, invoquant un mal de tête subit auquel Byron n'avait cru qu'à moitié.

Il la retrouva accroupie devant la cantine, en train d'inspecter la patte arrière d'un énorme chien d'une laideur repoussante. Sans doute un croisement entre un labrador et un dogue allemand, avec un chouïa de dingo pour donner encore un peu plus de piment au mélange.

— Qu'est-ce que vous fabriquez, Cleo ? demanda-t-il en s'avançant vers elle avec le directeur.

— Il a quelque chose à la patte. Il boite, mais je ne vois rien qui cloche. Pourtant il a mal, c'est évident : il ne s'appuie pas dessus.

— C'est Mungo, dit le directeur. Ça fait un bon moment qu'il boite.

— Pourquoi ne pas l'avoir emmené chez un vétérinaire, alors ? demanda Cleo, l'air indigné.

— Ce n'est pas mon chien, répondit le directeur avec un haussement d'épaules. Il n'appartient à personne. Il est apparu un beau jour, il y a quelques semaines. On lui donne à manger de temps en temps et les serveuses de la cantine veillent à ce qu'il ait de l'eau.

— Mais il faut le faire examiner ! insista Cleo. Il souffre, le pauvre.

— Ça va s'arranger, fit le directeur.

— Non, je ne crois pas, intervint Byron. Surtout s'il y a rupture du ligament croisé.

— Du quoi ? demandèrent en chœur Cleo et le directeur.

— Du ligament croisé. C'est une pathologie très fréquente chez les chiens. Si on ne traite pas le problème rapidement, l'animal boitera toute sa vie et aura de l'arthrite en vieillissant. Ma sœur a un golden retriever qui a eu le même souci il y a deux ans. Nous l'avons fait opérer et depuis, il se porte comme un charme.

— Il vaudrait mieux faire piquer Mungo, dans ce cas, répliqua le directeur.

À cet instant, le chien leva ses yeux vers Cleo, comme s'il voyait en elle une envoyée de la providence. Puis il le regarda, lui, Byron.

— Si vous pouvez lui trouver une famille d'adoption, nous le ramènerons à Sydney et je le ferai opérer, dit-il avec un soupir.

Les yeux de Cleo s'illuminèrent.

— Ce serait merveilleux ! Nous le prendrons chez nous.

— Nous ? demanda-t-il en fronçant les sourcils.

— Oui, je vis avec ma belle-mère, Doreen.

Byron assimila l'information avec désarroi. Il aimait l'idée que Cleo n'ait pas été heureuse avec son mari. Mais puisqu'elle vivait avec sa belle-mère, elle ne pouvait pas l'avoir détesté…

Peu importait, de toute façon. Il n'avait pas l'intention de s'encombrer des histoires personnelles de Cleo.

— Après l'intervention, il faudra qu'il reste tranquille pendant pas mal de temps, l'avertit-il. Il ne pourra ni courir ni trop monter les escaliers.

— Pas de problème. Il n'y a qu'une marche pour accéder à la maison. Et Doreen ne travaille pas en ce moment.

— Très bien. On l'emmène, alors. Où est passé Lou ?

— Il est à la cantine.

— Allez le chercher, dit Byron en se penchant pour soulever l'animal dans ses bras, comme il avait appris à le faire avec Jasper, le chien de sa sœur. Et ensuite, on y va.

— Cela va vous coûter une fortune, fit remarquer le directeur en l'accompagnant jusqu'au 4x4.

— Je sais. Environ cinq mille dollars.

Mais cela en valait la peine. Et puis, il pouvait se le permettre — et grâce à son acte chevaleresque, il allait devenir un héros aux yeux de Cleo…

Lorsqu'elle rentra à la maison ce soir-là, Cleo trouva Doreen confortablement installée sur le sofa, en robe de chambre et chaussons.

— Bonsoir, Cleo, dit-elle en reposant son livre. Pas trop fatiguée ?

— Exténuée !

Cleo lui avait envoyé un texto pour la prévenir que finalement, ils ne passeraient pas la nuit à Townsville. Et pour l'instant, elle décida de ne pas parler de Mungo, préférant attendre un moment plus propice.

— Je vais vous préparer du chocolat chaud, proposa Doreen en se levant.

— Merci, c'est très gentil, dit Cleo en lui emboîtant le pas.

La cuisine n'était pas bien grande mais judicieusement aménagée. Elles y prenaient quasiment tous les repas, installées de part et d'autre du bar sur de hauts tabourets. Du temps de Martin, il était hors de question de manger là, même pas le petit déjeuner.

— J'imagine que ça n'a pas été facile pour vous, dit

Doreen en mettant le lait à chauffer. Ça ne va pas fort dans l'industrie minière, en ce moment.

— Je doute vraiment que Byron accepte de s'associer avec Scott, reconnut Cleo. C'est dommage. Au retour, il m'a dit qu'il fallait fermer immédiatement la raffinerie et je suis d'accord avec lui. Mais vous connaissez Scott, il ne peut pas supporter l'idée de licencier le personnel avant d'avoir tout tenté pour sauver la situation.

— Je sais, soupira Doreen. J'aurais bien aimé l'avoir pour patron. Je ne serais pas au chômage.

Jusqu'à tout récemment, elle avait travaillé au supermarché du coin. Mais lorsque le magasin avait rencontré des difficultés, à cause de mauvaises décisions prises par la direction et de la compétitivité d'un rival établi à proximité, Doreen avait été licenciée.

— Je m'ennuie, par moments, ajouta-t-elle en posant deux mugs fumants sur le bar.

— Hum, ça sent bon, murmura Cleo. Ça vous dirait d'avoir un chien ? ajouta-t-elle aussitôt.

Ni elle ni Cleo n'avaient pu en avoir, leurs maris respectifs l'ayant formellement interdit. Martin n'avait même pas permis à Cleo d'avoir un chat. Il ne détestait pas les animaux, mais il haïssait l'idée que sa femme ne concentre pas toute son attention sur lui.

Peut-être était-ce pour la même raison qu'il avait repoussé le moment de lui faire un enfant…

— Oh ! je ne sais pas, répondit Doreen. Certains chiens sentent terriblement mauvais.

Cleo repensa à la puanteur qui avait envahi le 4x4… Ensuite, Byron avait déclaré qu'il allait devoir faire nettoyer entièrement le jet avant de le rendre à son père. Il ne s'était pas vraiment plaint, même s'il avait usé d'un ton pince-sans-rire et de son irrésistible sourire en coin.

À la clinique vétérinaire où ils s'étaient rendus directement après avoir atterri, une infirmière avait pris Mungo en charge, expliquant qu'elle allait lui donner un bain et le vacciner. Quant à l'intervention, elle aurait lieu le lendemain.

Byron avait fait largement sa part. Ne restait plus qu'à convaincre Doreen qu'elles avaient besoin d'un chien…

— C'est vrai, acquiesça Cleo. Mais le chien reste le meilleur ami de l'homme. C'est un animal qui se dévoue entièrement à son maître, envers et contre tout.

Doreen plissa les yeux.

— Ne tournez pas autour du pot, Cleo. Si vous envisagez d'acheter un chien, dites-le franchement.

— Non, je ne vais pas en *acheter* un. Mungo est plutôt un rescapé.

— Mungo…, répéta lentement Doreen. Pourquoi ai-je l'impression qu'il ne s'agit pas d'un adorable petit chiot…

Après s'être penchée pour saisir son sac qu'elle avait laissé tomber par terre, Cleo s'installa sur un tabouret et sortit son smartphone.

Heureusement que sur l'une des photos, on voyait les grands yeux tristes de Mungo, et pas seulement son aspect quelque peu disgracieux.

— Oh ! le pauvre, murmura Doreen, visiblement émue.

Après cela, Cleo lui raconta tout, y compris l'attitude merveilleuse de Byron. Il avait insisté pour assumer tous les frais médicaux, précisa-t-elle, ajoutant aussitôt qu'il pouvait bien se le permettre, vu qu'il était fabuleusement riche. En réalité, elle savait très bien que sa générosité était sincère et qu'à sa place, bien des individus fortunés ne se seraient pas préoccupés du sort d'un bâtard, ni donné la peine de le ramener en jet à Sydney.

Sachant qu'il serait impossible de le transporter à bord de sa petite voiture, Cleo avait déjà prévu de demander à Harvey de l'aider. Divorcé depuis des années, il était serviable et libre comme l'air. Et il vivait seul. Enfin, elle *pensait* qu'il vivait seul. En outre, il possédait un 4x4 qui serait parfait pour aller récupérer Mungo à la clinique.

Doreen se chargerait de l'accompagner le samedi après-midi, puisqu'elle-même serait très occupée par ses préparatifs. Ce qui lui rappela que sa belle-mère ignorait qu'elle sortait avec Byron ce soir-là. Elle serait surprise, naturellement, mais probablement heureuse. Ne lui répétait-elle pas qu'elle devrait sortir davantage ? Fréquenter des hommes ? S'amuser ?

En fait, il s'avéra que Doreen fut plus que surprise. Elle fut carrément choquée.

— Vous voulez dire que ce milliardaire vous a demandé de l'accompagner à la fête d'anniversaire de sa mère ?

— Eh bien... Oui.

— Mais pourquoi ? Je veux dire... Oh ! mon Dieu, je dois vous paraître horrible, mais...

— Ne vous inquiétez pas, la coupa Cleo. Je lui ai posé exactement la même question.

— Et qu'a-t-il répondu ?

— Que sa mère était une redoutable entremetteuse et qu'elle s'évertuait à lui faire rencontrer des fiancées potentielles dont il n'avait que faire.

— Oh ! je vois. Il ne désire pas se marier.

— Si, au contraire. Mais pas avec le genre de femmes que sa mère apprécie.

Doreen l'observa avec attention.

— Vous semblez avoir appris pas mal de choses à son sujet, en une seule journée.

— J'avais déjà déjeuné avec lui hier, répliqua Cleo.

— Oui, mais il s'agissait d'un déjeuner d'affaires, alors que cette fois, ça m'a l'air beaucoup plus personnel. Vous êtes sûre de ne pas lui avoir tapé dans l'œil ?

À sa grande irritation, Cleo rougit.

— Et il vous plaît, c'est ça ? Oh ! mon Dieu, soupira Doreen. J'adorerais vous voir fréquenter un homme, vous le savez, Cleo. Mais je ne crois pas que ce Byron soit celui qu'il vous faut. Vous ne vous sentiriez pas bien, avec un type comme lui... Il doit sortir avec des créatures somptueuses.

— Je lui ai dit la même chose. Il a répondu que si je me donnais la peine de me mettre en valeur, je pourrais moi aussi être jolie.

— Seigneur ! Et comment allez-vous faire pour vous *mettre en valeur* ?

— J'ai décidé de renouveler complètement ma garde-robe, plutôt que de m'acheter une simple robe. J'en ai plus qu'assez de mon allure sinistre, Doreen. Il est temps que ça change !

— Mais, vous n'y connaissez rien, en matière de mode.

— Vous non plus ! répliqua Cleo en riant.

— Je m'y intéressais beaucoup, autrefois, dit tristement Doreen. Jusqu'à mon mariage. Mon tout nouvel époux a déchiré tous mes beaux vêtements, puis il m'a coupé les cheveux, que j'avais très longs et dont je prenais méticuleusement soin. Il a dit qu'il ne voulait pas que sa femme ressemble à une prostituée.

Cleo la dévisagea en silence, horrifiée.

— Par la suite, il a choisi tous mes vêtements et je ne me suis plus jamais laissé pousser les cheveux. Quand il est mort, j'avais perdu tout intérêt pour ce genre de choses et je ne me souciais plus de mon apparence.

Martin n'avait pas été jusque-là, songea Cleo, les larmes aux yeux. Il n'en avait pas eu besoin. Lorsqu'ils s'étaient rencontrés, elle s'habillait déjà comme une vieille fille.

— Eh bien, il est grand temps que vous redeveniez vous-même, dit-elle gentiment. Nous irons faire les boutiques demain. Grace nous aidera avec plaisir, j'en suis certaine !

— Qui est Grace ?

— L'assistante de Byron. Et croyez-moi, elle a du style !

— Elle pourra s'absenter du bureau toute la journée ?

— Byron l'a appelée depuis le jet — qui appartient à son père — pour lui donner son vendredi. Il joue au golf avec un producteur de cinéma, alors il n'aura pas besoin d'elle.

— Il ne travaille pas trop dur, à ce que je vois…

— En fait, il déteste le golf, mais celui avec qui il a rendez-vous aime traiter ses affaires en pratiquant son sport favori.

— Décidément, il vous a expliqué beaucoup de choses, ce Byron…, fit remarquer Doreen en roulant les yeux.

— Oui, je peux également vous préciser qu'il ne prend pas de petit déjeuner, répliqua Cleo d'un ton malicieux. Et aussi que sous ses dehors de play-boy, c'est un homme très gentil. Et généreux.

— Et il a fallu que ce soit justement lui qui vous fasse craquer, soupira Doreen.

— Je n'ai pas craqué pour lui, répliqua Cleo en riant. Je l'aime bien, c'est tout.

Et je rêve de passer la nuit avec lui…

8.

— Vous avez pris des leçons.

Après avoir récupéré sa balle dans le seizième trou, Byron se tourna vers Blake.

— Pas exactement. Grace m'a filé quelques tuyaux.

— Grace ?

— Mon assistante.

— Jeune, blonde et belle ?

— Non, vous songez à Jackie, l'hôtesse d'accueil. Grace est blonde elle aussi, mais proche de la cinquantaine. J'ajoute tout de suite qu'elles sont prises toutes les deux : Jackie est fiancée et Grace fêtera bientôt ses noces d'argent.

— Vingt-cinq ans de mariage ! s'exclama Blake d'un ton sardonique. C'est un record, de nos jours !

— Les couples qui durent sont de plus en plus rares, je vous l'accorde.

— Et vous, que vous est-il arrivé avec la ravissante Simone ? demanda Blake, tandis qu'ils s'avançaient vers le dix-septième tee.

— Disons que je me suis rendu compte que je ne tiendrais jamais jusqu'à mon premier anniversaire de mariage, répondit Byron d'un ton pince-sans-rire.

— Il ne faut jamais miser sur une jeune actrice bourrée d'ambition. Pas pour le mariage. Faites-moi confiance, je sais de quoi je parle. J'ai été marié — pendant environ dix minutes — avec une femme qui ressemblait beaucoup à votre Simone. Elles sont très douées pour la simulation, jusqu'au moment où on leur passe la bague au doigt. Les hommes comme vous et moi sont bien plus heureux célibataires.

Byron comprenait très bien ce que Blake voulait dire par là. Après avoir divorcé d'avec Rosalind, son père avait mis des années à trouver Alexandra qui, par chance, était riche elle aussi et n'avait pas besoin de l'argent de Lloyd Maddox.

— Mais je désire me marier, répliqua-t-il. Et je veux avoir des enfants. Il suffit que je trouve la femme idéale.

— Eh bien, je vous souhaite bonne chance ! Et si nous revenions à nos affaires, maintenant ? fit Blake.

À cet instant, le soleil sortit de derrière un nuage, inondant le terrain de sa chaleur, comme cela se produisait souvent à la fin de l'automne à Sydney. Le lendemain, 1er juin, ce serait l'hiver. Heureusement, la météo prévoyait du beau temps pour le week-end, mais aussi des matinées très fraîches. Les invités de Rosalind s'éparpilleraient volontiers dans l'immense jardin entourant la piscine. Personne ne se baignerait, naturellement. Mais le vaste bassin illuminé de l'intérieur impressionnait toujours les riches et célèbres invités de sa mère. Byron adorait celle-ci, même si elle faisait parfois preuve d'un insupportable snobisme.

Il se félicita d'avoir confié Cleo aux bons soins de Grace. Sinon, Rosalind l'aurait toisée avec dédain, tout en se demandant ce que son fils pouvait bien faire avec une créature aussi banale. Même si lui avait su voir d'emblée la vraie Cleo, derrière son allure quelconque.

— À vous l'honneur, puisque vous avez remporté le seizième, déclara Blake avec une certaine impatience.

Byron émergea de sa torpeur pour songer aux conseils de Grace.

— À propos, poursuivit Blake, si vous voulez investir dans mon prochain film, il serait peut-être judicieux de perdre un ou deux coups. Pour le moment, vous en avez un d'avance.

Byron éclata de rire.

— C'est aussi l'avis de Grace ! Mais vous voulez que je

vous dise, Blake ? Je me fiche complètement que vous me laissiez investir ou non dans votre prochain film.

En affaires, la meilleure façon de l'emporter consiste à ne pas paraître trop avide. Souvent, mieux vaut jouer les indifférents, comme il l'avait appris sur le tas.

Blake fronça les sourcils. Grand, les cheveux noirs et brillants, il avait un regard bleu perçant qui semblait vous transpercer jusqu'au cœur. C'était un bel homme. Et incroyablement jeune pour se lancer à la conquête de Hollywood. Il avait à peine trente ans.

— Je peux savoir pourquoi ? demanda-t-il.

— Je vais être franc : j'ai un autre investissement important en vue, qui pourrait me rapporter gros. Alors, je ne sais pas si je peux prendre le risque d'investir dans un film.

Le visage de Blake s'assombrit.

— Le *risque* ? Il n'y a aucun risque à investir dans l'un de mes films. Tous les précédents ont été des succès.

— En effet. Mais maintenant que vous visez Hollywood, les huiles du milieu vont tenter de vous influencer, c'est garanti. Vous ne resterez pas indépendant très longtemps.

— N'importe quoi ! J'ai toujours fait ce que *je* voulais !

Byron plaça la balle sur le tee, se positionna, visa et frappa, mais pas aussi fort qu'il l'aurait pu.

— Je pourrais peut-être rassembler un million ou deux, dit-il nonchalamment.

Puis il remit son driver dans son sac.

— J'aurai besoin de plus que cela, répondit Blake d'une voix bourrue.

— Combien, exactement ?

— Vingt millions au moins. Mon prochain film sera une superproduction.

— C'est bien ce que je voulais dire ! s'exclama Byron en riant. Vous raisonnez déjà en producteur hollywoodien.

Les yeux bleus de Blake luirent d'un éclat métallique.

— Bon, vous êtes partant, ou pas ?

— Lachlan Rodgers fera partie du casting ?

— Bien sûr. Il a déjà signé son contrat pour le rôle principal.

— Dans ce cas, c'est d'accord. Ce jeune type est une *vraie* star.

— Je partage votre avis : c'est moi qui en ai fait une star.

L'air satisfait, il frappa sa balle qui dépassa celle de Byron pour s'arrêter à une bonne cinquantaine de mètres devant celle-ci.

— Alors, vous avez une petite amie régulière, en ce moment ? demanda Blake comme ils avançaient en tirant leurs sacs chariots.

Byron réfléchit un instant.

— En fait, oui, se surprit-il à répondre.

— Pourrait-elle être l'épouse que vous recherchez ?

— Non, je ne pense pas.

— Une conquête passagère, alors. En attendant de trouver la bonne.

Le fait d'entendre parler de Cleo de cette façon déplut à Byron. Elle représentait déjà pour lui davantage qu'une conquête passagère. En vérité, cette femme l'obsédait à tel point qu'il avait du mal à trouver le sommeil, depuis leur rencontre. Il repensa à tout ce qu'il avait fait la veille dans le seul but de l'impressionner. Dire qu'il avait porté dans ses bras cet horrible clébard qui empestait ! Qu'il l'avait transporté à bord du jet de son père…

Décidément, Cleo lui faisait perdre la tête. Il en venait même à envisager de s'associer avec Scott McAllister uniquement pour la revoir. Ce qui était absurde !

Peut-être réussirait-il à la séduire dès le lendemain soir, comme il en avait eu l'intention au départ. Ensuite, il pourrait de nouveau réfléchir avec son cerveau, pas avec son…

Cependant, il ne désirait pas seulement *coucher* avec Cleo. Et ça, c'était une première pour lui, qui en disait long sur sa superficialité… Pourtant, il savait que les femmes peuvent posséder des atouts autres que physiques. Il avait rencontré toutes sortes de femmes hyper-intelligentes au cours de sa vie, ayant suivi des parcours incroyables — et plus diplômées qu'il ne l'était lui-même.

Le problème, c'était que lorsque ce genre de femmes le rencontraient, elles oubliaient subitement toute ambition personnelle sans le moindre état d'âme. Alors, bien sûr, quand elles avaient l'avantage d'être belles en plus d'être intelligentes, il s'empressait de satisfaire leurs désirs — sans se donner la peine de faire plus ample connaissance avec elles.

Eva et Simone s'y étaient prises un peu plus délicatement. Mais ces deux relations avaient beau avoir duré un certain temps, le résultat avait été le même. Ennui et déception totale. Avec le recul, Byron se détestait d'avoir pu envisager d'épouser de telles créatures.

Cleo n'appartenait pas à la même espèce. Comme l'avait dit Grace, c'était vraiment une femme bien. Et, de façon étrange, elle attirait en partie Byron parce qu'elle n'était pas aussi sexy qu'Eva ou Simone, justement. Il admirait sa simplicité. Il l'admirait, *elle*. Et il la désirait. Comme un fou.

Cleo, Doreen et Grace faisaient une pause au Martin Café lorsque le téléphone de Cleo vibra dans son sac. Sortant l'appareil, elle sourit en découvrant le nom de l'appelant.

— C'est Byron, dit-elle à ses compagnes avant de répondre.

Comme Doreen et Grace la regardaient d'un air entendu, elle roula les yeux et se leva pour s'éloigner de leur table.

— Bonjour, dit-elle d'une voix enjouée.

Mon Dieu, le simple fait d'entendre la voix de Byron faisait battre son cœur plus vite.

— Je vous croyais encore sur le terrain, ajouta-t-elle.

— C'est vite réglé, avec Blake. Nous sommes au club, où nous allons déjeuner. Il est parti nous chercher des bières au bar, alors j'en profite pour vous appeler rapidement et voir comment ça se passe avec Grace.

— Très bien. En fait, Doreen est avec nous. Elle avait besoin d'une conseillère mode, elle aussi.

— Avec Grace, vous avez affaire à une experte !

— Oui, et je dois vous remercier, de tout mon cœur. Grace est absolument formidable — j'ai déjà acheté des tenues magnifiques. Et ce n'est pas terminé !

— Vous m'en voyez ravi. Bon, Blake revient, il faut que je vous laisse. Je passe vous prendre à 19 h 30 demain soir, d'accord ? Tâchez d'être prête, nous avons du chemin à faire.

— Je serai prête, répliqua Cleo avec assurance.

— Parfait. Et vous avez trouvé quelqu'un qui puisse aller chercher le chien à la clinique ?

— Oui. Tout est organisé.

— Parfait, répéta Byron. Cette fois, il faut vraiment que je vous laisse.

— Une dernière chose : vous avez gagné ?

— Bien sûr que non, je ne suis pas stupide. Mais vous pouvez dire à Grace que j'ai été excellent au putting. Au revoir et à demain, Cleo.

— Il n'a pas gagné, transmit-elle à Grace en se réinstallant à leur table. Mais il m'a chargée de vous dire qu'il avait été excellent au putting.

Grace éclata de rire.

— Vous croyez qu'il a fait exprès de perdre ? demanda Cleo.

— Possible.

— Mais...

— En amour comme en affaires, tout est permis, l'interrompit Grace avec un haussement d'épaules. Byron désire investir dans Fantasy Productions et il n'est jamais bon de se mettre à dos l'homme avec qui vous voulez faire des affaires, surtout lorsque celui-ci a un ego surdimensionné comme Blake Randall.

— Oui, c'est vrai, murmura Cleo.

Raison de plus pour qu'il ne soit pas intéressé par McAllister Mines, songea-t-elle. Par conséquent, elle avait bien fait d'accepter de l'accompagner à cette soirée d'anniversaire. De toute façon, sa priorité n'était plus de réussir à le convaincre de s'associer avec Scott. Elle désirait seulement passer du temps avec lui. Et puis, le devenir de McAllister Mines était bien le cadet de ses soucis, pour l'instant.

— Bon, il est temps de nous remuer ! s'exclama soudain Grace. Il nous reste des tonnes de choses à faire : lingerie, chaussures, sacs. Sans oublier le parfum. Allez, direction Elizabeth Street — on commence par David Jones.

Elle baissa les yeux sur les nombreux sacs posés un peu partout autour de leur table.

— Nous laisserons nos petites emplettes à l'accueil pour avoir les mains libres. Et quand nous aurons terminé, je vous appellerai un taxi. Impossible de prendre le train avec tout ce barda !

9.

— Impeccable ! murmura Byron en voyant un homme se diriger vers une voiture garée à proximité de la maison de Cleo.

Deux minutes plus tard, sa Lexus occupait l'emplacement qui venait de se libérer. Après avoir jeté un coup d'œil à sa montre, il descendit du véhicule. 19 h 30 pile.

Il faisait frais, remarqua-t-il en verrouillant la portière. Ce soir-là, il avait choisi un costume léger et décontracté gris clair, au pantalon ample et à la veste à un seul bouton. Il le laissait toujours ouvert, façon smoking. Au lieu d'une chemise, il avait revêtu un pull en jersey ajusté blanc à col montant. Il portait des chaussures et une ceinture en crocodile noir « made in Sydney ». Byron encourageait autant que possible la fabrication locale. Quant au costume, il venait de chez son tailleur habituel. Italien, bien entendu.

Gagné par une nervosité inhabituelle, il se traita d'imbécile et continua d'avancer sur l'allée conduisant à la petite maison de bois. Il ne s'agissait que d'un interlude romantique, se dit-il en s'arrêtant devant la porte.

Ils profiteraient bien l'un de l'autre et vivraient une belle histoire, dont ils ressortiraient satisfaits tous les deux.

Songer à la fin d'une relation qui n'avait pas même commencé lui était désagréable. Pourtant, Byron ne désirait pas tomber amoureux de Cleo. Or, s'il la revoyait après cette soirée, cela risquait fort de lui arriver.

S'efforçant de se ressaisir, il appuya d'un geste décidé sur la sonnette. Des aboiements puissants résonnèrent dans la maison, suivis de la voix, calme mais ferme, de Cleo demandant à Mungo de se taire. Le chien se tut aussitôt, puis la porte s'ouvrit.

Aucun mot, aucune expression n'aurait pu traduire la sensation qui s'empara de Byron à la vue de la femme qui venait d'apparaître devant lui. Sans les yeux bruns déjà très familiers, il ne l'aurait pas reconnue. Ses cheveux superbes ondulaient librement autour de son visage et sur ses épaules, lui donnant l'air d'une star des années 1960. Ava Gardner lui vint à l'esprit. Le visage délicat de Cleo était parfaitement maquillé, le fard ne faisant que mettre en valeur sa beauté naturelle. Sa bouche naturellement pulpeuse avait pris la teinte d'un ravissant coquelicot, ses yeux rehaussés de mascara et d'eye-liner noirs paraissaient encore plus grands.

Mais c'était sa robe qui stupéfiait le plus Byron. Coupée dans un tissu raffiné bleu électrique — de la soie ? —, elle était moulante mais pas trop. Juste ce qu'il fallait pour faire ressortir une taille fine, des seins superbes et des hanches rondes à souhait. Les pieds chaussés d'escarpins dorés à hauts talons et à bout ouvert découvraient des ongles vernis d'un superbe rouge vif. Ceux des mains étaient colorés eux aussi, mais d'une teinte rose pâle, discrète et élégante à la fois. Pour tout bijou, un halo de parfum montait de son corps de déesse — mélange sensuel de vanille et de musc, agrémenté de notes plus fleuries qu'il ne parvenait pas à identifier.

Sans chercher à dissimuler son admiration, il parcourut lentement son corps des yeux, avant de river son regard au sien. Il y découvrit une telle vulnérabilité qu'il tressaillit malgré lui. En dépit de sa transformation spectaculaire, elle doutait encore d'elle-même.

— Excusez-moi, dit-il d'une voix neutre. J'ai dû me tromper d'adresse. Je pensais avoir sonné à la porte de Cleo Shelton.

Un grand sourire arrondit la belle bouche coquelicot.

— Ne dites pas de bêtises, répliqua-t-elle d'un ton de reproche.

Mais le compliment l'avait touchée, c'était évident.

— C'est moi, Cleo, ajouta-t-elle en souriant.

— Vous êtes si belle que tout le monde va se demander ce que vous faites avec moi — et non l'inverse.

— Arrêtez de dire n'importe quoi, Byron. Vous êtes superbe vous aussi. Comme d'habitude.

— Vous êtes trop aimable, fit-il en lui offrant son bras. On y va ?

— Vous voulez bien entrer une seconde ? Doreen aimerait beaucoup faire votre connaissance.

La belle-mère de Cleo était plus jeune qu'il ne l'avait imaginé. Et elle ne manquait pas de charme. Vêtue d'un ensemble décontracté en jersey brun clair, Doreen était installée sur un sofa recouvert de tissu bleu Klein semblant très confortable. Avec Mungo étalé sur le tapis à ses pieds, elle dégageait une aura de sérénité qui plut d'emblée à Byron.

Rasée en grande partie, la patte arrière du chien était recouverte d'un énorme pansement, semblable à celui de Jasper deux ans plus tôt. L'animal le regarda d'un air soupçonneux, comme s'il savait que Byron n'était pas le héros que ses nouvelles maîtresses semblaient voir en lui.

— Ne vous levez pas, je vous en prie, dit Byron à Doreen.

Se penchant vers elle, il l'embrassa sur la joue en la remerciant d'avoir accepté d'adopter Mungo.

— Je ne me suis vraiment pas sacrifiée ! répliqua-t-elle en riant. Nous nous entendons déjà à merveille et j'apprécie beaucoup sa compagnie.

— Tant mieux. Nous ferions bien d'y aller, Cleo, dit Byron en se tournant vers celle-ci.

— N'oubliez pas vos clés ! s'exclama Doreen. Je ne vous attendrai pas — vous rentrerez sans doute tard.

Elle tourna les yeux vers Byron.

— Ça fait un bout de chemin, d'ici à Palm Beach, ajouta-t-elle.

— Effectivement, répliqua-t-il en regardant Cleo prendre un petit sac de soirée doré sur la table basse.

Le fait de la voir se pencher ainsi, de dos, provoqua en

lui un trouble si violent qu'il se félicita d'avoir choisi un pantalon ample.

Ils ne resteraient pas longtemps à la soirée organisée par sa mère, décida-t-il. Il désirait être seul avec Cleo. Et de préférence chez lui.

— Prête ? demanda-t-il alors qu'elle s'avançait vers lui avec son minuscule sac à la main.

— À peu près, répondit-elle avec un petit rire nerveux.

Une fois qu'ils furent montés en voiture, Byron lui sourit.

— Ne me dites pas que vous vous sentez encore nerveuse avec cette allure de star ?

— Je suis *affreusement* nerveuse, avoua-t-elle. Je n'arrête pas de penser que je ne saurai pas quoi dire aux gens que je vais rencontrer. Surtout à votre mère. Cela fait des années que je ne suis pas allée à une fête.

— Même pas à celle que votre boîte organise à Noël ?

— Si, mais ce n'est pas pareil. Je connais tout le monde, là-bas, et je ne reste jamais longtemps.

— Ah. Eh bien, nous ne resterons peut-être pas longtemps non plus chez ma mère. Nous pourrions aller ailleurs. Juste vous et moi. Qu'en pensez-vous ?

Que répondre ? Qu'elle adorerait cela ?

Non, cela serait trop révélateur. Voire humiliant.

— À quel genre d'endroit pensez-vous ? demanda Cleo avec calme.

Il la dévisagea en silence, l'air surpris.

— Où aimeriez-vous aller ?

— J'ai entendu dire que le bar de l'Opéra était très animé, le samedi soir.

— Il y a toujours un monde fou, là-bas. On ne s'entend pas parler. Je veux être seul avec vous, Cleo.

— Pourquoi ? fit-elle en redressant le menton.

— Vous le savez, répondit tranquillement Byron.

— Vous… Vous voulez coucher avec moi ?

Mon Dieu, venait-elle vraiment de prononcer ces mots ?

— Oui, bien sûr.

Sa désinvolture sidéra Cleo — et l'irrita. Maintenant qu'elle avait une allure décente à ses yeux, il la trouvait potable...

— J'en ai eu envie trente secondes après vous avoir rencontrée, ajouta-t-il avec son adorable sourire en coin.

Comme elle le contemplait sans mot dire, il se pencha vers elle.

— Vous ne dites rien ?

— Je ne vous crois pas, murmura-t-elle. Ce n'est pas possible. J'étais affreuse, ce jour-là.

— Vous n'aviez pas l'allure que vous avez ce soir, c'est sûr. Mais je vous désirais tout autant. Peut-être parce que j'ai perçu la vraie Cleo sous votre apparence... fade.

— La vraie Cleo ? Qu'entendez-vous par là ?

— Celle qui, l'espace de quelques instants, m'a dévoré de ses grands yeux bruns, comme si elle voyait en moi une source à laquelle s'abreuver, après une longue traversée du désert.

— Oh..., murmura-t-elle, embarrassée.

Ainsi, il avait perçu ce qu'elle ressentait...

— Il n'y a rien de plus sexy qu'une femme qui affiche ouvertement son désir, poursuivit Byron.

Cleo secoua la tête, effrayée par sa clairvoyance. Il lisait en elle. Devinait ses émotions.

— Il n'y a rien de mal à avoir envie d'un homme après une longue abstinence, Cleo. Cela ne diminue en rien l'amour que vous portez à votre défunt mari.

S'il savait..., songea-t-elle en se raidissant sur son siège. Mais il ne saurait jamais rien de ce qu'elle avait vécu avec Martin. Parce qu'elle ne lui en parlerait jamais.

— Vous n'êtes pas intéressé par une éventuelle association avec Scott, n'est-ce pas ? demanda-t-elle d'un ton brusque, presque agressif. Tout cela n'est qu'un jeu pour vous.

La colère vibrant dans la voix de Cleo prit Byron de court. À présent, elle le foudroyait du regard.

Elle avait raison, cela avait représenté un jeu pour lui. Mais seulement au début. Et encore, pas totalement. Il la désirait, mais il s'intéressait sincèrement à elle et n'avait pas l'intention de lui faire de mal. En aucune façon.

Au premier croisement, il bifurqua sur une petite route et se gara abruptement sur le bas-côté. Après avoir coupé le moteur, il se tourna vers Cleo. Elle le regardait maintenant d'un air apeuré et confus.

— Je tiens à ce que les choses soient claires, Cleo, dit-il d'une voix ferme. Je m'intéresse à McAllister Mines, OK ? Mais pas autant que je m'intéresse à vous. Et il ne s'agit pas d'un jeu. Je ne vous ai pas menti, l'autre jour. Vous me plaisez et j'aime être avec vous. Et, oui, j'aimerais devenir votre amant. Le seul mensonge que je vous ai dit, c'est à propos de la raison qui m'a poussé à vous demander de m'accompagner chez ma mère ce soir. Ce n'est pas pour me protéger de ces prédatrices qu'elle a forcément invitées, mais parce que je désirais être avec vous. Si j'avais été franc, je ne crois pas que vous auriez accepté ma proposition.

— C'est vrai ? chuchota-t-elle. *Vraiment* vrai ?

— Oh ! pour l'amour du ciel…

Détachant sa ceinture de sécurité, il se pencha vers Cleo et l'embrassa.

Cleo gémit contre ses lèvres. Elle avait rêvé de cet instant mais sans imaginer qu'un simple baiser puisse éveiller de pareilles sensations, en elle. C'était divin. Byron dévorait sa bouche avec un art qui la faisait fondre tout entière, tandis qu'une onde de chaleur la parcourait, d'une intensité inouïe.

À présent, elle se fichait complètement des motivations de celui qui caressait sa langue avec la sienne, l'enlaçait, dansait avec elle. Qu'il ait menti ou pas lui était égal. Elle le désirait avec une force sauvage, irrépressible. Rien n'importait plus à Cleo que de lui faire comprendre qu'elle était à lui.

*
* *

Il fallait qu'il s'arrête, se dit Byron quelques minutes plus tard. Seigneur, c'était comme une drogue. Il avait embrassé des kyrielles de femmes avant elle mais aucune ne lui avait fait un tel effet. Avec Cleo, il sentait une puissance nouvelle se déployer en lui. Il se sentait viril, au sens le plus noble et le plus primitif du terme.

Au prix d'un effort surhumain, il écarta sa bouche de la sienne. Elle avait les yeux clos. Ses lèvres gonflées demeuraient entrouvertes, terriblement tentantes, et maintenant totalement dépourvues de rouge à lèvres. Lorsque Byron baissa les yeux sur sa gorge ravissante, vit ses seins se soulever et s'abaisser d'un mouvement saccadé, il sentit son propre corps protester, la réclamer. S'il n'avait pas déjà appelé sa mère pour la prévenir qu'il était en route et qu'il venait accompagné, il aurait rebroussé chemin, prétextant une indisposition subite. Rosalind avait paru surprise qu'il ne vienne pas seul et demandé s'il s'agissait d'une simple amie ou d'une nouvelle conquête. Question qu'il avait repoussée en riant et en lui disant qu'elle verrait bien.

Byron caressa les lèvres offertes jusqu'à ce que Cleo soulève les paupières. Il y avait de nouveau quelque chose de si vulnérable dans son regard qu'il eut du mal à ne pas la prendre dans ses bras pour la rassurer.

— Nous ne resterons pas longtemps là-bas, promit-il en se redressant.

— D'accord, répliqua-t-elle avec un soupir résigné.

— Je ne te demanderais jamais de faire des choses qui te déplairaient, Cleo.

— Je le sais, dit-elle. Ce n'est pas ton genre.

— C'est quoi, mon genre ?

— Gentil, répondit-elle en souriant. Même si la vie t'a particulièrement gâté.

Il éclata de rire.

— Vous me plaisez vraiment, Cleo Shelton.

— Vous aussi, vous me plaisez, Byron Maddox.

— C'est vrai ? *Vraiment* vrai ?

Elle lui donna une petite tape sur le bras.

— Je t'interdis de te moquer de moi. Sinon, j'appelle un taxi et je rentre chez moi.

— Mon Dieu, quelle horreur ! s'exclama-t-il en feignant l'indignation.

10.

— Oh ! s'exclama Cleo alors qu'ils arrivaient à destination. Je n'ai pas de cadeau d'anniversaire…

— Ne t'en fais pas, la rassura Byron. J'en ai un et je dirai que c'est de notre part à tous les deux.

— Merci beaucoup ! Je me sens mieux. Que lui as-tu acheté ?

— Un livre, répondit-il en souriant.

— C'est tout ?

Il avait les moyens de lui offrir quelque chose de mieux qu'un livre, non ?

— Je lui ai aussi fait livrer un énorme bouquet de fleurs ce matin, expliqua Byron avec un haussement d'épaules. Mais ce n'est vraiment pas facile de faire plaisir à ma mère. Elle n'aime pas qu'on lui offre des vêtements, des objets, des choses pour la maison. Un homme ou un amant peut offrir des bijoux à une femme, mais pas un fils à sa mère. Du moins, c'est ce qu'elle m'a dit le jour où je lui ai acheté un collier, alors que j'étais un adolescent gauche et emprunté. L'an dernier, je lui ai offert une très jolie petite sculpture en bronze — un original, cela va sans dire — qui a atterri sur l'étagère des toilettes du chalet qu'elle a fait construire à côté de la piscine.

— Elle a une piscine ? Alors qu'elle habite au bord d'une plage ?

— C'est un simple accessoire à ses yeux, qu'elle n'utilise jamais. Cela fait partie du décor, en somme. Lara y nage de temps en temps, mais elle préfère la plage. Tout comme Jasper, le golden retriever dont je t'ai déjà parlé.

— Et qu'est-ce que tu lui as acheté, comme livre ?

— Le dernier Daniel Silva. Rosalind adore les polars et ceux de cet auteur en particulier.

— Elle ne se le sera pas déjà procuré ?

— Non. Elle ne s'achète jamais de livres. Elle préfère aller à la bibliothèque, comme cela, elle ne se sent pas obligée d'aller au bout de sa lecture, si ça ne lui plaît pas. Elle peut se montrer extrêmement dépensière et frivole dans certains domaines mais très spartiate dans d'autres. Peut-être parce qu'elle a été pauvre autrefois. Avant de rencontrer mon père.

— Tu veux dire qu'elle l'a épousé pour son argent ?

Cleo s'interrompit, gênée.

— Excuse-moi. C'est impoli de ma part et cela ne me regarde pas.

— Non non, ne t'excuse pas. Je crois qu'ils étaient très amoureux l'un de l'autre, au début. Mais mon père était accro au travail et s'absentait beaucoup trop souvent. Alors… Ah, nous sommes enfin arrivés.

Il s'engagea dans une ruelle où étaient garés de nombreux véhicules, certains sur les bas-côtés herbeux, d'autres dans des emplacements sans doute interdits.

— Ça va être difficile de trouver une place ! s'exclama Cleo.

— Pas de panique, dit-il en souriant.

Il s'empara d'une petite télécommande rouge qu'il pointa devant lui. Aussitôt, une grande porte de garage se souleva sur leur droite. Il y en avait une seconde à côté, séparée de la première par un élégant porche, derrière lequel Cleo entrevit une bâtisse à un étage, aux murs couleur ivoire. De style Art déco, la villa avait des coins arrondis et de larges fenêtres incurvées, ainsi qu'un toit plat bordé de moulures noires.

Après s'être garé à côté d'une petite trois portes blanche, Byron ouvrit sa portière et sortit de la Lexus.

— C'est la voiture de Gloria, la gouvernante de la maison, dit-il en désignant l'autre véhicule. Celles de ma mère et de Lara sont dans l'autre garage. Celui-ci est réservé aux intimes de la maison.

Avant de refermer sa portière, il se pencha vers elle, un sourire malicieux aux lèvres.

— Les VIP... Comme moi...

Alors qu'il contournait le véhicule pour lui ouvrir la portière, Cleo se sentit gagnée par la nervosité. Incapable de bouger, elle resta immobile sur son siège.

En apparence, elle était parfaitement équipée pour jouer le rôle de la petite amie de Byron et affronter les invités chics de Rosalind — sans parler de celle-ci. Mais au fond d'elle, Cleo se sentait complètement déplacée. Et plus que tout, elle craignait de décevoir Byron.

Probablement n'avait-il pas menti en disant qu'il l'avait désirée dès leur rencontre. Il n'était pas cruel, c'était évident. Cependant, il avait *beaucoup* d'expérience avec les femmes. Celles qu'il fréquentait d'habitude étaient des créatures somptueuses et hyper-sûres d'elles. Ses maîtresses savaient comment le contenter, alors qu'elle-même n'y connaissait vraiment pas grand-chose en la matière, pour ne pas dire rien. D'après Martin, elle avait toujours été trop timide une fois dévêtue. Et trop pudique. Jamais naturelle. Jamais passionnée. Ce qui était sans doute la vérité. Avec lui. Or Cleo pressentait qu'elle serait différente avec Byron. Il lui donnait l'impression d'être très sexy.

Comme ses mamelons durcissaient sous la soie, elle s'efforça de chasser les pensées érotiques qui l'assaillaient.

Détachant sa ceinture de sécurité d'un geste décidé, elle prit la main que lui tendait Byron. Elle devait se concentrer sur la soirée. Sur Rosalind, les invités qu'elle allait rencontrer.

En fin de compte, affronter la mère de Byron ne fut pas aussi éprouvant que Cleo l'avait redouté. À son grand soulagement, celle-ci n'était pas une femme aux atours luxueux arborant une collection de bijoux précieux. Par ailleurs, on lui aurait donné cinquante ans et non soixante, mais elle ne semblait pas être une adepte des liftings ou de la chirurgie esthétique. Vêtue d'un ensemble pantalon en soie blanc perlé mettant en valeur ses cheveux blond cendré, souriante, elle se montra particulièrement chaleureuse et bienveillante à son égard. De toute évidence, c'était de sa mère que Byron avait hérité son charme.

— Ce n'était vraiment pas la peine ! s'exclama-t-elle lorsque son fils lui tendit un paquet bleu cobalt enrubanné d'une faveur rose vif.

Tout en déchirant le papier, elle poursuivit :

— Je pensais que les fleurs étaient mon cadeau. Oh ! merci ! s'extasia-t-elle, l'air sincèrement ravi. C'est une bien meilleure idée que l'année dernière, mon chéri.

— Hum…, se contenta de répliquer Byron.

Lui souriant d'un air taquin, Rosalind posa livre et emballage sur un guéridon en acajou.

Ils se trouvaient dans un immense salon ouvrant sur une terrasse au sol carrelé à motifs Art déco noir et blanc, qui donnait elle-même sur la piscine, ainsi que sur un jardin tropical où couraient des guirlandes électriques multicolores.

— Alors, depuis combien de temps vous connaissez-vous ?

— Pas longtemps, répondit Byron.

— Et comment vous êtes-vous rencontrés ?

— Cleo est l'assistante de Scott McAllister, un magnat de l'industrie minière. J'envisage d'investir dans son entreprise.

Sa mère haussa les sourcils.

— Vraiment ? Ce n'est pourtant pas dans tes habitudes, Byron.

— Que vaut la vie si l'on n'élargit pas ses horizons de temps en temps ? répondit-il avec un haussement d'épaules.

Rosalind reporta son attention sur Cleo, qui comprit à la lueur d'intérêt traversant ses yeux bleus qu'elle songeait que Byron élargissait aussi *ses horizons* côté fréquentations féminines.

— Il faut que j'aille rejoindre mes invités, dit-elle en souriant. Pourquoi ne feriez-vous pas comme moi ? Il y a des tas de gens intéressants, vous verrez.

— Où est Lara ? demanda Byron. Et Jasper ?

— Ta sœur passe la soirée et la nuit chez une amie.

Se retrouver avec mes invités et devoir bavarder avec eux aurait représenté une véritable torture pour elle, m'a-t-elle expliqué avant de partir. Et tu connais Jasper : il la suit partout comme son ombre… Maintenant, offre une coupe de champagne à ta ravissante amie. J'ai acheté le meilleur.

— Naturellement, murmura Byron une fois qu'elle se fut éloignée.

— Pourquoi tant de sarcasme ? demanda Cleo. Je trouve ta mère très sympathique.

— Elle t'apprécie aussi beaucoup. Et si elle s'est montrée aussi charmante, c'est qu'elle organise déjà notre mariage dans sa tête.

— Ne sois pas ridicule ! protesta Cleo, choquée.

— Elle est très impatiente de me voir marié.

— Mais certainement pas avec moi !

Byron fronça les sourcils.

— Et pourquoi pas toi ?

— Je ne suis pas ton style de femme. Et ta mère s'en est très bien rendu compte.

— Tu es peut-être mieux.

Cleo se détesta de rougir à ce compliment. L'espace d'une seconde, elle s'imagina devenant Mme Byron Maddox. Alors qu'elle avait juré sur la tombe de Martin de ne jamais remettre sa vie entre les mains d'un homme et qu'elle entendait bien respecter sa promesse. De toute façon, Byron ne lui proposerait jamais de devenir sa femme.

— Ne nous égarons pas, Byron, dit-elle d'une voix ferme. Je t'ai accompagné uniquement parce que tu avais besoin de protection. Et j'ai accepté de rencontrer Grace et de changer de look parce qu'il était temps que je fasse quelque chose pour améliorer mon apparence. Je l'ai fait pour moi. Pas pour toi. Ni pour ta mère. Alors, ne la laissons pas croire qu'il y a quelque chose de sérieux entre nous, s'il te plaît. J'ai envie de passer la nuit avec toi, c'est vrai. Mais ensuite, chacun de nous retournera à sa vie et ce sera très bien comme ça.

***

Le petit discours de Cleo agaça prodigieusement Byron, sans qu'il sache pourquoi. Car elle avait raison. Alors pourquoi réagissait-il ainsi ? Presque avec colère ?

En fait, il appréciait de plus en plus la compagnie de cette femme qui, effectivement, ne ressemblait en rien à celles qu'il fréquentait d'ordinaire. Il trouvait Cleo plus que sympathique. Et il ne désirait pas seulement lui faire partager son lit. Il souhaitait vivre davantage qu'une aventure sans lendemain avec elle. Mais apparemment, elle était sincère en affirmant que de son côté, elle ne voulait pas aller plus loin.

— Si je comprends bien, tu comptes passer la nuit avec moi, puis disparaître, c'est cela ? fit-il en dominant à grand-peine la fureur en lui.

— Non…, commença-t-elle d'un ton hésitant.

Elle battit plusieurs fois des paupières avant d'ajouter d'une voix posée :

— Je ne crois pas qu'une nuit suffira.

Face à un tel aveu, sa colère retomba aussitôt. Il ne savait plus que penser.

— Cela ne *me* suffira pas, c'est sûr ! dit-il en plongeant son regard dans celui de Cleo.

Il continua de la fixer jusqu'à ce qu'elle perde enfin son fichu calme.

S'ils ne s'étaient pas soudain trouvés alpagués par un couple d'ex-voisins de Rosalind, des gens âgés que Byron avait eu l'occasion de rencontrer à plusieurs reprises, il serait parti sur-le-champ avec Cleo. Mais il se sentit obligé de bavarder un moment avec eux. Il leur présenta Cleo qui resta silencieuse à ses côtés, le laissant entretenir la conversation. Alors qu'il ne songeait qu'à filer en douce et la ramener chez lui. Il l'imaginait déjà nue, étendue sur son lit. Abandonnée et offerte. Toute à lui.

Jamais encore il n'avait ressenti pareille impatience. Pareil désir. Dès le départ, il s'était comporté de façon inhabituelle avec elle, faisant des choses qu'il ne souhaitait pas vraiment faire dans le seul but d'être avec elle. C'était la faute de Cleo. Ou la faute de son défunt mari. Celui qui était mort beaucoup trop tôt, la laissant le cœur brisé et incapable de retomber amoureuse. Elle pensait sans doute trahir celui qu'elle aimait toujours en désirant un autre homme. C'était pour cela qu'elle s'efforçait de se restreindre au sexe, et seulement le temps de quelques nuits.

Mais cela ne se passerait pas ainsi. Parce que Byron ne s'en contenterait pas.

Faisait-il passer ses propres désirs avant toute autre considération ? Il n'avait pas envie de faire souffrir Cleo et pourtant, il posait ses conditions pour obtenir ce qu'il voulait.

Troublé à cette idée, il ferma un instant les yeux.

— J'ai entendu dire que votre père vendait son manoir, dit soudain l'ancien voisin de Rosalind.

Arraché à ses pensées, Byron se concentra sur la conversation.

— C'est le bon moment de vendre, poursuivit l'homme. Les prix de l'immobilier sont en hausse. À l'inverse de ce qui se passe côté minerais, n'est-ce pas ?

Voyant qu'il s'adressait maintenant à Cleo, Byron prit deux coupes de champagne sur le plateau d'un serveur et en glissa une entre les mains de sa compagne.

— Désolé, dit-il au couple. Mais il faut que je touche un mot à ma mère. Ravi de vous avoir revus.

Prenant Cleo par le bras, il s'avança vers Rosalind, qui bavardait avec un politicien qu'il détestait et une femme devenue célèbre pour avoir participé à une émission de téléréalité. Sans doute cette créature faisait-elle partie des candidates sélectionnées par Rosalind pour son fils.

Alors que la jeune femme lui souriait d'un air exagérément réjoui, Byron s'empressa de virer à quatre-vingt-dix degrés. Il entraîna alors Cleo à la cuisine, où Gloria aidait les traiteurs réquisitionnés pour la soirée.

— Bonsoir, Byron, dit la gouvernante avec chaleur.

Elle détailla Cleo de la tête aux pieds.

— Vous me présentez votre amie ?

Après s'être exécuté, il confia à Gloria qu'il désirait s'en aller discrètement.

— Rosalind ne se rendra pas compte de mon absence avant un moment, dit-il en plongeant le doigt dans un récipient au contenu appétissant. Voudriez-vous bien lui expliquer que Cleo a senti venir la migraine et que je l'ai raccompagnée chez elle, s'il vous plaît ? Dites-lui que je ne suis pas allé l'embrasser avant de partir, parce que j'ai eu peur d'être dévoré tout cru par la tigresse avec qui elle bavardait à ce moment-là.

— Il y en a plusieurs ici ce soir, des tigresses ! s'exclama Gloria en riant.

Avec un sourire, Byron passa le bras autour des épaules de Cleo.

— Tu veux grignoter quelque chose avant de partir, trésor ?

Tremblant légèrement contre lui, elle secoua la tête en silence.

— Termine ton champagne, alors. Et ensuite, on y va.

— Tu n'aurais pas dû m'appeler *trésor*, dit Cleo alors que Byron sortait du garage en marche arrière. Gloria va le raconter à ta mère, qui s'empressera d'en tirer de fausses conclusions.

L'air un peu agacé, il tourna brièvement la tête vers elle.

— Qu'est-ce que cela peut bien faire ? Nous ne reviendrons pas ici de sitôt, de toute façon.

— Elle pourrait t'appeler et te poser des questions embarrassantes.

— Sans doute. Mais je sais comment m'y prendre avec elle. C'est *toi* qui me poses des problèmes, Cleo ! Tu veux bien cesser d'inventer des complications sans fin ? J'ai compris que tu ne voulais pas d'une vraie relation avec moi. Tu t'éloignes de ta zone de confort, rien qu'en acceptant de coucher avec moi. Mais tu as le droit de vivre ta sexualité, d'avoir une vie amoureuse. Nous sommes adultes et nous n'avons de comptes à rendre à personne en ce qui concerne notre vie privée.

L'exaspération contenue dans sa voix fit tressaillir Cleo.

Elle aurait quitté sa zone de confort ? Depuis l'instant où Byron l'avait prise par la main pour l'entraîner vers le garage, elle avait plutôt basculé dans un autre univers !

— Je... Je suis désolée, dit-elle d'une voix rauque.

De quoi était-elle désolée, au juste ? Elle n'en savait rien.

— Je suis désolé aussi, soupira Byron. Je n'aurais pas dû te parler comme je viens de le faire. Ce n'était pas nécessaire. Ni gentil. Sans doute ai-je réagi ainsi, parce que je me sens un peu frustré. Je n'ai pas fait l'amour depuis ma rupture avec Simone et je n'ai jamais été très doué pour l'abstinence.

Cela lui faisait-il plaisir d'apprendre qu'il n'avait pas couché avec une femme depuis six semaines ? En tout cas, cet aveu surprenait Cleo. Et la touchait. Ce qui était ridicule. Était-elle censée être impressionnée parce qu'il s'était passé de sexe pendant aussi *longtemps* ? Le pauvre chéri...

— Je n'ai pas fait l'amour depuis cinq ans, dit-elle d'un ton brutal. C'est-à-dire depuis le jour où Martin a appris qu'il avait un cancer.

En réalité, ayant décidé depuis longtemps de le quitter, elle avait cessé de coucher avec lui bien avant cela.

— Après, il a commencé la chimio et a perdu tout appétit sexuel.

— Je vois, fit brièvement Byron.

Ne sachant plus quoi dire, Cleo resta silencieuse elle aussi, mais son cœur battait si fort que Byron devait l'entendre.

— Dans ce cas, reprit-il au bout de quelques instants, je doute que deux nuits te suffisent. Je propose que tu me réserves toutes tes soirées, la semaine prochaine.

Il ponctua ces paroles d'un regard brûlant qui la bouleversa au plus intime de sa féminité.

— Si tu veux, dit-elle d'un ton neutre.

Mais elle ne put s'empêcher de sourire. Comment aurait-elle pu lui résister ? Byron était la séduction et le charme incarnés. N'importe quelle femme aurait craqué devant lui.

— Seulement si *tu* veux, trésor. Je suis à ta disposition, aussi longtemps que tu le voudras.

— Il faut que tu cesses de m'appeler *trésor*.

Cela lui faisait des choses inouïes. Délicieuses, ridicules.

— Pourquoi ?

— Tu le sais très bien.

— Ça y est, tu recommences à inventer des complications là où il n'y en a pas. Tu as besoin qu'un homme à poigne s'occupe de toi.

À ces mots, Cleo ne put s'empêcher de rire. C'était bien la dernière chose dont elle avait besoin !

— Je peux savoir pourquoi tu ris ? demanda Byron en plissant le front. Il avait un accent étrange, ton rire.

— Je suis une femme étrange.

— Je dirais plutôt énigmatique. Pourquoi as-tu renoncé à toute vie sexuelle après la mort de ton mari ? Trois ans, c'est long. Tu as eu le temps de faire ton deuil et d'avancer, non ?

Si seulement elle avait pu lui dire la vérité. Mais elle ne pouvait s'y résoudre. Elle aurait eu l'impression de trahir Martin. Il n'avait pas agi comme il l'avait fait par méchanceté. Il n'était pas mauvais, au fond. Il avait seulement grandi en prenant modèle sur son père. Non que cela excusât son attitude envers elle, naturellement.

— Me croirais-tu, si je te disais qu'avant toi, je n'ai rencontré aucun homme qui m'ait attirée sexuellement ?

— C'est très flatteur, mais non, je ne te crois pas.

— C'est vrai, pourtant.

Byron aurait bien aimé la croire, mais il n'y parvenait pas. Pas totalement. Elle lui cachait quelque chose.

Cleo n'avait pas été complètement heureuse avec ce Martin, il en était de plus en plus persuadé. Et sa décision de ne pas se remarier était due à de mauvais souvenirs, pas à des bons. Si elle avait été heureuse en mariage, elle aurait eu envie de renouveler l'expérience.

De son côté, Byron désirait se marier parce qu'il pensait qu'en fondant une famille, il parviendrait à la complétude. Gagner de l'argent, c'était très bien, mais cela ne valait pas la satisfaction et la joie que pourrait lui apporter une relation épanouie avec une femme. Et des enfants — qu'il aimerait de tout son cœur.

Si seulement Cleo…

Non, il ne devait pas même y songer. Cette femme n'était pas pour lui.

— Je suppose que tu ne prends pas la pilule ? demanda-t-il.

— Non.

— Pas de problème. J'utilise toujours un préservatif. Les hommes comme moi ne prennent pas de risques.

— Qu'est-ce que tu veux dire par là ? demanda-t-elle, l'air sincèrement perplexe.

Il aimait sa franchise. Cleo n'était pas une mondaine. Son innocence lui plaisait. Sans doute était-elle arrivée vierge à sa nuit de noces. Ou elle avait dû l'être jusqu'à ses fiançailles.

— Les hommes fortunés représentent une cible privilégiée pour les femmes cupides, et une grossesse est le meilleur moyen de les forcer au mariage. Ou d'obtenir une pension à vie. Je me suis toujours protégé, même avec mes fiancées.

— Quelle tristesse, dit tranquillement Cleo.

Byron haussa les épaules.

— Je savais que tu avais été fiancé deux fois, poursuivit-elle. Je me suis renseignée sur Internet avant d'aller à ce premier rendez-vous, à ton bureau.

— Moi aussi, j'ai voulu me renseigner sur toi ! répliqua-t-il en riant. Mais je n'ai rien trouvé sur Cleo Shelton.

— C'est normal, dit-elle simplement.

Elle garda le silence pendant un moment.

— Je dois te dire quelque chose, Byron, reprit-elle d'une voix un peu inquiète.

— Je t'écoute.

— J'ai demandé au chef de la sécurité de Scott d'enquêter

sur toi avant de t'accompagner à Townsville. J'espère que tu n'es pas choqué.

— Je ne le suis pas du tout. Je n'en attends pas moins d'une assistante efficace et intelligente. Il a trouvé quelque chose d'intéressant ?

— Pas grand-chose que je ne savais déjà. Tes prouesses sportives à l'époque où tu étais au Riverview College… Et tes nombreuses conquêtes féminines, du temps où tu faisais des études de commerce.

Il rit.

— Tout cela est exact. Je m'étais acquis une réputation de play-boy stupide et arrogant — bien méritée, je l'avoue. Je suis sûr que Grace a eu l'occasion de t'en parler vendredi.

— Grace n'a rien dit de dépréciateur sur toi.

— Je suis ravi de l'apprendre. Maintenant, si tu veux bien, j'aimerais que nous ne disions plus rien. Attention, ne crois pas que j'en aie assez de bavarder avec toi ou que cela m'ennuie. Au contraire. Mais je préférerais me concentrer sur la conduite, afin d'arriver chez moi le plus rapidement possible. Parce que depuis que tu m'as dit que je suis le premier homme avec qui tu as envie de faire l'amour, je ne pense plus qu'à ça…

11.

— Je crois que j'ai une crise de panique, dit Cleo d'une voix rauque, tandis que l'ascenseur s'élevait en silence vers le dernier étage.

Dès que la Lexus s'était engagée dans le parking souterrain, son cœur s'était mis à battre à tout rompre et elle avait eu subitement l'impression d'étouffer.

— Pauvre trésor, murmura Byron en l'attirant dans ses bras. Mais je ne pense pas qu'il s'agisse d'une vraie attaque de panique. Tu es trop excitée, c'est tout. Je le suis pas mal aussi…

Rougissante, Cleo appuya son visage contre son torse musclé.

— Tu vas être tellement déçu…, chuchota-t-elle.

La cabine s'immobilisant, Byron la repoussa doucement pour prendre son visage entre ses mains chaudes.

— Ne dis pas de bêtises, Cleo. La déception est bien la dernière sensation que j'éprouverai en te faisant l'amour.

À ces mots, un délicieux frisson lui parcourut le dos.

Comme il lui prenait la main et l'entraînait hors de la cabine, Cleo resta figée sur place, craignant soudain de commettre une erreur monumentale. Si Byron lui faisait vraiment *l'amour*, elle risquait de tomber amoureuse de lui, ce qui équivaudrait à une catastrophe. Parce qu'elle ne se faisait aucune illusion : il ne l'aimerait jamais en retour. Aussi était-il hors de question qu'elle se laisse aller à rêver en secret qu'il envisage un jour de l'épouser et de lui faire des enfants. De tels rêves ne pouvaient que lui briser le cœur. Et elle avait déjà suffisamment souffert de ce côté-là.

— Qu'est-ce qu'il y a, maintenant ? demanda Byron d'un ton rogue. Si tu me dis que tu as changé d'avis, je me jette du haut de ma terrasse. Et je te rappelle que nous sommes au quarantième étage.

La gorge nouée, Cleo redressa le menton.

— Je n'ai pas changé d'avis, dit-elle, le plus calmement possible. Mais je veux qu'aucune émotion n'entre en jeu dans ce que nous allons vivre ensemble. Je tiens à ce que nos rapports demeurent strictement… physiques.

Byron se crispa.

— OK, marmonna-t-il.

Il pourrait sans doute arriver à se limiter à une étreinte *physique*, puisque c'était ce qu'il avait fait toute sa vie. Mais ce n'était pas ainsi qu'il envisageait leurs rapports.

Furieux, il se pencha pour soulever Cleo dans ses bras et l'emporta dans le hall.

— C'est assez *physique* pour toi ? demanda-t-il d'une voix peu aimable.

— Repose-moi tout de suite ! ordonna-t-elle quand il s'arrêta devant la porte de son appartement.

— À une condition : que tu cesses d'inventer des raisons de ne pas t'abandonner à ton désir. Tu as envie de moi autant que j'ai envie de toi, Cleo, et je commence à en avoir assez de tes petits jeux.

Une réelle détresse envahit ses yeux bruns.

— Mais je ne joue pas ! J'essaie simplement d'être honnête avec toi.

— Honnête ? Vraiment ? Eh bien, laisse-moi l'être aussi. Je laisserai libre cours à *toutes* mes émotions quand je te ferai l'amour, d'accord ? Et il ne s'agira pas d'une aventure sans lendemain. Combien de fois dois-je te répéter que tu me plais énormément et que j'aime être avec toi ? Si je désirais une simple étreinte physique, comme tu dis, j'irais m'adresser ailleurs — et ce ne sont pas les partenaires qui manquent, crois-moi. Mais ce n'est pas ce que j'attends de toi, Cleo. J'en veux davantage.

— Oh…, murmura-t-elle, les larmes aux yeux.

Et dire qu'elle ne voulait pas d'émotions… Il était soulagé de la voir réagir de la sorte, même s'il culpabilisait de s'être montré brutal avec elle.

— Ne pleure pas, s'il te plaît, dit-il, avec une pointe d'exaspération dans la voix.

Mais au fond, c'était à lui qu'il en voulait. Pas à Cleo. Parce que s'il était prêt à s'abandonner avec elle, il ne désirait pas pour autant tomber *amoureux* d'elle. C'était impossible, leur relation ne pourrait pas durer très longtemps.

— Tu n'as aucune raison de pleurer, reprit-il, radouci.

La serrant contre lui, Byron sentit un frémissement étrange lui traverser le cœur. Le désir, sans doute. Depuis l'instant où elle lui avait ouvert la porte et qu'il l'avait vue complètement transformée, il ne savait plus trop où il en était, à vrai dire. Et ce constat l'irritait. Sans pour autant atténuer l'attirance qu'il éprouvait pour elle.

La reposant sur ses pieds, il fouilla dans sa poche et en sortit ses clés.

Cleo s'efforça de se ressaisir, tandis qu'il ouvrait la porte.

Byron avait raison. Elle n'avait aucune raison de pleurer. Et elle avait autant envie de lui qu'il avait envie d'elle. Mais elle n'arrivait toujours pas à se débarrasser de sa nervosité. Jusqu'à présent, un seul homme l'avait vue nue. Martin.

Elle n'avait pas honte de son corps. En fait, elle se trouvait même bien faite. Mais elle avait vu les photos des ex-fiancées de Byron sur Internet et elles étaient plus que *bien faites* — elles avaient toutes deux des corps de rêve !

— Tu recommences, dit Byron, l'air furieux.

— De quoi parles-tu ?

— Tu cherches une raison de te dérober.

— Non, protesta-t-elle en fronçant les sourcils.

— Parfait.

Il poussa la porte et s'effaça pour la laisser passer.

— Prends le couloir et va jusqu'au bout. La double porte est celle de ma chambre. Je verrouille et je te suis.

La tête haute, mais tremblant intérieurement, elle s'avança dans le vestibule sans regarder autour d'elle. Comme elle prenait le couloir indiqué, elle aperçut du coin de l'œil un salon immense, deux fois plus grand que la superficie totale de sa maison. Une fois arrivée devant la double porte, elle en poussa un battant et entra dans la chambre de Byron.

Médusée, elle s'arrêta et embrassa le vaste espace du regard. Lit immense avec grand écran plat sur le mur d'en face. Coin salon avec bar. À côté du sofa, une large porte-fenêtre ouvrait sur la terrasse, au-delà de laquelle scintillaient les lumières de Sydney. Mobilier élégant et blanc, avec surfaces en verre dépoli. Murs et plafond blancs également, tapis gris souris. L'architecte d'intérieur — car Byron avait de toute évidence fait appel à un professionnel — avait choisi le rouge pour rythmer l'ensemble. Le sofa était recouvert de velours frappé d'un beau rouge cardinal et les deux fauteuils arboraient une étoffe soyeuse rayée rouge et blanc. Deux autres fauteuils, en rotin et peints en blanc, flanquaient le lit, sur lequel était étalé un jeté à rayures grises et blanches et une montagne de coussins blancs. Sur le pied du lit, une fausse fourrure gris clair complétait l'ensemble, à l'opposé des lampes de chevet en chrome et surmontées d'abat-jour blancs. Aux fenêtres, des stores en bois, blancs eux aussi.

— Ça te plaît ? murmura Byron en lui posant les mains sur les épaules.

— Cette pièce est magnifique, dit-elle dans un souffle.

— Tant mieux, parce que je crois que nous allons y passer pas mal de temps.

Puis il la fit tourner doucement sur elle-même et la regarda dans les yeux.

*
* *

Elle n'était toujours pas rassurée, constata Byron en fouillant son regard craintif.

Plus de discours, décida-t-il. Il était temps de passer à l'action.

Sans plus attendre, il l'embrassa. Lentement. En douceur. Pour lui faire comprendre qu'elle n'avait rien à craindre. Et quand il sentit sa bouche s'ouvrir à la sienne en même temps qu'un gémissement montait de sa gorge, il sut qu'il avait gagné. Cleo était à lui. Pour l'instant, du moins.

Enfonçant la langue dans la délicieuse moiteur de la bouche dont il reconnut aussitôt le goût, il ferma un instant les yeux, dépassé par la violence de son propre désir. La tentation de hâter le processus fut difficile à repousser. Mais il tint bon. Il ne voulait surtout pas effrayer Cleo, bien que ce fût une sacrée épreuve de refréner ses ardeurs !

Byron riva son regard au sien, et elle fit la plus belle chose du monde. Elle sourit.

— J'aime beaucoup ta façon d'embrasser, dit-elle.

— Et moi, j'aime beaucoup la façon dont tu réponds à mes baisers.

Il n'y avait plus aucune frayeur dans les yeux qui continuaient de le dévisager. Seulement du désir.

— Cleo, reprit Byron d'une voix altérée. Je me suis dit que je serais patient. Que je prendrais mon temps pour t'offrir des moments de plaisir inoubliables. Et je le ferai. La deuxième fois. Et aussi la troisième. Mais pour l'instant, je brûle de m'enfouir en toi. Alors j'aimerais te déshabiller. Tout de suite. Tu veux bien ?

Cleo n'eut pas le temps de répondre. Déjà, il lui ôtait ses vêtements, avec une dextérité prouvant qu'il était expert en la matière. Elle se retrouva en sous-vêtements et escarpins en un clin d'œil, sa superbe robe bleue ayant atterri sur le tapis comme un vulgaire chiffon. Mais Cleo s'en fichait. Tout ce qui lui importait, c'était le désir étincelant dans les yeux bleus de Byron, et celui qui la dévorait tout entière.

Elle aussi voulait le sentir en elle. Maintenant.

— J'adore tes seins, murmura-t-il après l'avoir débarrassée de son soutien-gorge. Pleins, doux, et si naturels…

Les prenant dans ses mains, il pencha la tête pour en embrasser les mamelons durcis.

— Je vais les soumettre à un traitement particulièrement raffiné, chuchota-t-il. Ôte ces talons assassins et allonge-toi, trésor. Mais garde cette petite culotte sexy — je tiens à m'en occuper moi-même.

Sur ces mots, il se déshabilla, dévoilant peu à peu son corps musclé, son ventre plat et le genre de torse que l'on voit dans les magazines. Peau glabre et dorée, pectoraux puissants…

Cleo brûlait de l'embrasser, de le lécher. Partout.

— Arrête de me regarder comme ça, trésor, dit Byron d'une voix rauque en la rejoignant sur le lit. Sinon, je risque de ne pas tenir longtemps, je te préviens.

Comme elle ouvrait de grands yeux, il lui effleura la joue du bout des doigts.

— Tu es une femme superbe. J'aime tout de toi.

Sa main descendit sur sa gorge, passa entre les seins, glissa sur le ventre, puis de plus en plus bas…

— Oh…, gémit-elle quand il entreprit une exploration intime.

— Je vois que tu es aussi impatiente que moi, murmura-t-il.

Elle hocha la tête, la gorge soudain nouée. Le premier coup de reins lui coupa le souffle. La sensation était stupéfiante. Merveilleuse. Le membre viril l'emplissait, mais elle désirait le sentir plus profondément encore. Soulevant les jambes, Cleo les referma autour de ses hanches pour mieux le serrer contre elle. Alors qu'elle enfonçait les ongles dans ses reins, il laissa échapper une plainte rauque, puis un juron.

— Cleo ! Doucement, bon sang ! Sinon je…

— Tais-toi et bouge ! le coupa-t-elle, haletante.

Jamais elle n'avait ressenti un désir aussi intense, aussi impérieux. Maintenant que Byron était enfoui au plus profond de son sexe, elle ne pouvait plus attendre. Elle avait *besoin* de jouir. Maintenant !

Il accéléra le rythme de ses coups de reins, faisant monter le plaisir de plus en plus haut, jusqu'à ce que Cleo s'envole dans l'extase en criant sans retenue. Mais Byron continuait son ensorcelant va-et-vient et la volupté renaissait déjà en elle. Incroyable, elle allait jouir de nouveau. Mais soudain, ce fut lui qui céda à la jouissance, l'entraînant avec lui, tandis qu'ils criaient ensemble.

Quand il se laissa aller de tout son poids sur Cleo et qu'elle laissa échapper un petit gémissement de protestation, il se redressa aussitôt avant de rouler sur le flanc.

— Désolé, murmura-t-il.

Elle n'avait pas besoin d'excuses. Elle ne désirait plus rien. Après cet embrasement de tous les sens, elle se sentait anéantie. Éteinte.

Un petit soupir lui échappa. Fermant les yeux, Cleo entendit vaguement Byron soupirer à son tour, puis sombra dans le sommeil.

Byron resta longtemps debout à côté du lit, à regarder Cleo dormir.

Toutes sortes d'émotions bouillonnaient en lui. Le désarroi, notamment. Parce que Cleo n'éprouvait pour lui que du désir. Et la déception, aussi. Il s'était vraiment attendu à davantage de sa part.

Mais finalement, quand il eut surmonté le coup porté à son ego, il se sentit plus que jamais déterminé à ne pas la laisser sortir de sa vie. Il désirait plus que quelques nuits avec elle. Et il comptait bien la garder pour lui, tant qu'ils continueraient à avoir envie l'un de l'autre. C'est-à-dire un bon bout de temps, pressentait-il. L'attirance qu'il ressentait pour Cleo n'avait rien de commun avec celle qu'il avait éprouvée envers Simone ou Eva.

Mais attirance sexuelle ne veut pas dire amour. Jusqu'à présent, il ne l'avait pas trouvé, l'amour vrai. Et il aurait été stupide de commencer à se croire amoureux de Cleo, pour la seule raison qu'il appréciait beaucoup sa compagnie et qu'il la désirait comme un fou. Il verrait bien comment évoluerait leur relation.

Quoi qu'il en soit, il fallait qu'il tâche d'en savoir un peu plus sur son passé, notamment au sujet de ses rapports avec son défunt mari. Il parviendrait peut-être à l'amener à se confier.

Soudain agacé, il se passa la main dans les cheveux. En fait, il ne savait pas trop où il en était vis-à-vis de la femme dormant tranquillement dans son lit. Or, l'incertitude n'avait jamais été son fort.

Soulevant la fourrure étalée sur le pied du lit, il en recouvrit le corps ravissant de Cleo, avant de gagner la salle de bains. Une bonne douche brûlante lui remettrait les idées en place. Ensuite, il mangerait quelque chose et boirait un verre, puis il réveillerait Cleo. Car il n'en avait pas fini avec elle. Il avait encore beaucoup à faire pour lui démontrer qu'elle ne pouvait retourner à sa vie sans plaisir, sans sexe. Peut-être l'ignorait-elle, mais elle avait besoin d'un amant à plus long terme. Un homme expérimenté capable de lui faire redécouvrir — ou découvrir — les délices de la volupté.

Cleo fut réveillée par une sensation exquise et il lui fallut quelques secondes pour se rappeler où elle se trouvait.

Une humiliation affreuse l'envahit. Avait-elle vraiment ordonné à Byron de se taire et de bouger ? Une chose était sûre : non seulement il avait obéi, mais il l'avait fait jouir, deux fois. Leurs étreintes avaient été fabuleuses.

Lorsque les doigts habiles remontèrent lentement sur ses reins, elle ne put retenir une plainte ravie.

— Tu es réveillée, murmura Byron, tout contre son oreille.

Mais lorsqu'elle voulut se retourner vers lui, il l'en empêcha.

— Essayons dans cette position, cette fois-ci, d'accord ?

Sans lui laisser le temps de répondre ou de protester, il lui caressa les seins avant de la pénétrer d'un vigoureux coup de reins, qui lui arracha une nouvelle plainte.

— Tu es tellement sexy, chuchota-t-il en instaurant un va-et-vient lent et régulier. Je me demande vraiment comment tu as pu vivre aussi longtemps dans l'abstinence.

Bien sûr, elle aurait pu lui expliquer qu'elle n'avait jamais connu ce qu'elle découvrait entre ses bras, mais elle s'en abstint. Elle préférait se concentrer sur les sensations incroyables qui l'inondaient. S'adaptant rapidement à la cadence, elle se mit à bouger au rythme de ses coups de reins. Byron poussa un gémissement étouffé et resserra les doigts autour de ses mamelons. Leurs deux corps ondulaient ensemble, dans une harmonie parfaite.

Bientôt, ce fut trop pour Cleo. L'intensité du plaisir. La tension presque insupportable. La pensée que Byron ne serait jamais que son amant. Un amant temporaire. Elle aurait été naïve d'attendre davantage de sa part. Et ç'aurait été très dangereux de se laisser aller à de tels fantasmes.

La jouissance de Byron fut aussi spectaculaire que la sienne. Ils s'envolèrent ensemble à des sommets insoupçonnés. Mais lorsque ensuite il la serra dans ses bras en lui chuchotant des mots doux, une détresse terrible s'empara de Cleo, annihilant tout le plaisir qui continuait de frémir en elle.

Il fallait interrompre cette histoire absurde. Tout de suite. Sinon, l'enchantement allait se transformer en cauchemar.

Mais en même temps, elle pressentait que, tant que Byron la désirerait, elle serait incapable de refuser de le voir. Tout en sachant que son désir ne durerait pas longtemps. Un homme comme lui ne s'éterniserait pas avec une femme comme elle. Leur rencontre ne représentait qu'une petite échappée pour lui. Une parenthèse. Elle l'avait attiré parce qu'elle était différente de ses conquêtes habituelles.

Il se lasserait d'autant plus vite d'elle, si elle continuait de se plier à tous ses désirs, se dit soudain Cleo. Or elle ne voulait pas qu'il se lasse d'elle. Pas encore.

— Je crois que je vais rentrer chez moi, maintenant.

À sa grande surprise, Byron éclata de rire. D'un rire sonore qui emplit toute la pièce.

— Ah, tu crois ça, trésor… Mais je ne suis pas encore prêt à te laisser partir. Cendrillon ne retourne pas au logis aussi tôt : il est à peine 23 heures.

Sur ces mots, il se retira brusquement. Quand il fut debout, il la souleva dans ses bras.

— Si je me souviens bien, j'avais dit que nous ferions l'amour trois fois, pas deux, poursuivit-il, les yeux pétillant de malice.

D'un pas décidé, il la porta jusqu'à la salle de bains, qui s'avéra bien entendu immense et magnifique.

— Tu es un véritable obsédé, dit Cleo d'un ton moqueur.

Car il était hors de question qu'elle se laisse éblouir par son charme et cède à tous ses caprices. Sinon, elle tomberait dans la soumission totale, comme avec Martin.

— Non, pas vraiment, répondit-il avec son irrésistible sourire. Mais j'aime le sexe, c'est vrai.

— N'en conclus pas que tu vas pouvoir m'imposer tes quatre volontés, répliqua-t-elle d'une voix ferme.

Debout devant lui, complètement nue, elle était néanmoins la preuve du contraire…

— Je n'apprécierais pas que tu t'y plies, dit-il, l'air sincère. Bon, si on retournait à nos affaires ?

— Nos *affaires* ? répéta-t-elle en haussant les sourcils.

— Oui, nos affaires *personnelles*. Dis donc, tu peux devenir très embêtante, quand ça te prend, tu sais ?

— En effet. Tu es prévenu, maintenant.

Un sourire désarmant arrondit la bouche sensuelle de Byron.

— Attention, un homme prévenu en vaut deux, trésor. Alors, tu veux prendre une douche avec moi, ou pas ?

— Je devrais pouvoir y survivre.

— Et provocante, en plus…

— Je ne l'étais pas avant de te rencontrer.

— Mais tu m'as rencontré, heureusement !

12.

Pour la première fois depuis une éternité, Cleo n'entendit pas le réveil sonner. Quand elle se réveilla pour découvrir qu'il était midi, elle se redressa brusquement dans son lit.

Enfilant ses chaussons roses et attrapant son peignoir à la volée, elle sortit de sa chambre et se dirigea vers la cuisine, tout en repoussant les souvenirs brûlants qui se bousculaient dans son esprit. Mieux valait se concentrer sur les questions que Doreen n'allait pas manquer de lui poser…

Cleo la trouva en train de préparer du café, avec Mungo étalé sur le carrelage à ses pieds. Dès qu'il aperçut sa seconde maîtresse, le chien boita jusqu'à elle en remuant joyeusement la queue.

— Comment ça va ce matin, mon vieux ? demanda Cleo en le grattant derrière l'oreille.

Reposant la bouilloire électrique sur son socle, Doreen se retourna vers elle.

— Une tasse de café ? demanda-t-elle en la dévisageant avec curiosité.

Aïe… Mentir, ou ne pas mentir… ?

— Avec plaisir. Merci.

Se juchant sur un tabouret, Cleo redressa les épaules, alors qu'elle aurait volontiers fermé les yeux. Quitte à s'assoupir.

— Vous avez l'air fatiguée, dit Doreen en posant une tasse devant elle.

— Je n'ai pas l'habitude de faire la fête, répondit Cleo.

Surtout le genre de fête qu'elle avait célébrée avec Byron.

— Vous devez vous être bien amusée pour rentrer aussi

tard. Je ne vous espionnais pas, bien sûr, mais comme vous le savez, je me relève au moins une fois au cours de la nuit. Et je n'ai pas pu m'empêcher de jeter un œil par la fenêtre, au moment où Byron vous embrassait, avant de remonter en voiture.

Ah...

— Et ça n'avait pas l'air d'être un baiser platonique, ajouta Doreen d'un ton pince-sans-rire.

Il était donc inutile de mentir. La question était réglée.

Cleo opta pour la franchise totale. Jusqu'à un certain point, bien entendu. Et comme Byron l'avait invitée à dîner le soir et qu'elle avait accepté, il faudrait de toute façon qu'elle prévienne Doreen.

— Il est vraiment très charmant, dit-elle.

— Je suis d'accord avec vous. Il m'a énormément plu. Plus que je ne le prévoyais. Je savais déjà qu'il vous plaisait, mais j'imaginais un homme plus arrogant. Alors qu'il ne l'est pas du tout. J'aurais dû me fier à votre jugement, Cleo. Vous n'auriez pas accepté de sortir avec lui, s'il n'avait pas été un homme bien. Et doux.

Le message implicite n'échappa pas à Cleo. Doreen avait su comment se comportait son fils. Tel père tel fils. Mais elles n'en avaient jamais parlé ensemble. Ni du vivant de Martin, ni après sa mort.

— Et comment avez-vous trouvé sa mère ? poursuivit Doreen. S'est-elle montrée charmante avec vous, elle aussi ?

— Tout à fait charmante. À mon grand étonnement !

— En ce qui me concerne, je ne suis pas surprise. Vous étiez tellement ravissante ! Et manifestement, votre transformation a séduit Byron Maddox. Je parie qu'il vous a proposé de vous revoir — je me trompe ?

— Non, vous ne vous trompez pas, Doreen, répondit Cleo du ton le plus neutre possible.

Elle but une gorgée de café, alors qu'il était bien trop chaud...

— Quand ?

— Ce soir. Il m'a invitée à dîner.

Mais ils ne s'attarderaient pas au restaurant, c'était certain. Aussitôt après le dessert — s'il tenait jusque-là —, Byron la ramènerait chez lui et ils feraient l'amour avec passion. Encore et encore.

Sentant son corps vibrer d'anticipation et se voyant submergée par un flot de souvenirs plus troublants les uns que les autres, Cleo se concentra sur sa belle-mère.

— Il est très beau, cet homme, dit celle-ci d'un ton rêveur.

Cleo hocha la tête en silence. C'était un euphémisme. Byron était d'une beauté somptueuse. Scandaleuse.

— Et je soupçonne que, sans vêtements, il l'est encore davantage, poursuivit Doreen du même ton rêveur.

La gorgée de café passa de travers dans la gorge de Cleo, qui se mit à tousser.

— Je suis vraiment ravie de vous voir sortir avec un homme, Cleo, continua sa belle-mère en plissant le front. Mais j'espère que vous ne vous faites pas d'illusions et que vous savez que Byron Maddox n'envisage pas de s'impliquer sérieusement avec vous. Ce genre d'hommes fréquentent des mannequins et des célébrités, pas des femmes comme nous.

— Oui, je le sais, Doreen, rétorqua Cleo d'un ton vif.

C'était une chose de l'admettre en privé. Mais se l'entendre dire par son amie était plus difficile à encaisser. Parce que le constat devenait plus réel. Et plus douloureux.

— Vous serez prudente, n'est-ce pas ? Je détesterais vous voir malheureuse. Amusez-vous bien avec lui, profitez de tout au maximum, mais ne vous laissez pas prendre au jeu.

Le téléphone fixe se mettant soudain à sonner, Doreen descendit de son tabouret pour aller prendre l'appareil posé sur le plan de travail.

— Allô ! fit-elle en revenant s'asseoir. Oui, merci. C'est très gentil, Harvey.

Stupéfaite, Cleo vit Doreen sourire en *rougissant*. Ça alors ! Et Harvey était tout sauf *gentil*. Quant à Doreen, elle n'avait pas pour habitude de s'adresser ainsi à un homme. D'autant plus qu'elle le connaissait à peine.

— Non, non. Il n'y aura que moi et Mungo à la maison,

ce soir, dit sa belle-mère d'un ton rassurant. Cleo dîne à l'extérieur. Avec Byron Maddox.

Cleo aurait été curieuse de savoir comment Harvey avait réagi en apprenant ce détail…

— Non, prenez ce que vous aimez, poursuivit Doreen. Ça m'ira de toute façon. Je ne suis pas difficile, côté nourriture. Mais je préfère le vin blanc au rouge. Pas trop sec.

Après quelques paroles prononcées sur le même ton flirteur, Doreen dit au revoir à son interlocuteur et raccrocha.

— Harvey vient dîner avec moi et il passera chez le traiteur chinois, annonça-t-elle, l'air aux anges — et un peu penaud. Il voulait prendre des nouvelles de Mungo. Il adore les chiens, figurez-vous, et il s'inquiétait pour lui.

Cleo eut du mal à ne pas éclater de rire.

— Vous croyez vraiment qu'il vient pour Mungo ?

Doreen fit de son mieux pour prendre un air hautain, mais échoua lamentablement.

— C'est ce qu'il a dit, en tout cas.

Cette fois, Cleo sourit franchement.

— Si Harvey adorait les chiens, il ne vivrait pas dans une tour où les animaux sont interdits. D'autant plus qu'il a les moyens de s'acheter une maison, avec le salaire que Scott lui verse. Il habiterait une maison avec un grand jardin ou une cour suffisamment spacieuse pour abriter un énorme chien. C'est *vous* que Harvey vient voir, Doreen. Pas Mungo.

Entendant prononcer son nom, le chien redressa le museau avant de le rappuyer sur le carrelage.

— Vous lui avez tapé dans l'œil, c'est évident, ajouta-t-elle.

— Oh…, murmura Doreen, l'air ravi.

Descendant de son perchoir, Cleo se dirigea vers la salle de bains. La vie est parfois si étrange… Et merveilleuse. Qui aurait pu imaginer que Harvey serait attiré par Doreen ? Elle ne manquait pas de charme, certes. Elle était même ravissante. Quant à Harvey, il plaisait aux femmes, avec son air macho, son beau visage aux traits anguleux et ses yeux bleus. La preuve.

Quelques instants plus tard, Cleo offrait son visage au

jet puissant en se lissant les cheveux en arrière. *Il* lui avait fait la même chose au cœur de la nuit. Pour mieux la voir s'occuper de son membre excité.

Un frisson la parcourut, tandis qu'elle se revoyait agenouillée devant lui dans la douche. Elle repensa à ce qu'elle lui avait fait. D'abord avec les mains, puis la bouche. Jamais elle n'aurait cru prendre autant de plaisir en se livrant à ce genre de pratique.

Après, ils s'étaient recouchés et avaient de nouveau fait l'amour. Et cela avait été plus fabuleux encore.

Non seulement Byron ne l'avait pas laissée partir, mais il l'avait retenue longtemps. Mais lorsqu'elle avait fini par dire que cette fois elle rentrait, il ne l'en avait pas empêchée.

Était-ce de l'amour, ce sentiment qui avait frémi en elle et qui frémissait encore, là, maintenant ?

Cleo ferma les yeux pour tenter de contrôler la confusion qui s'emparait de son esprit. Durant cette nuit passionnée, elle avait été certaine d'être tombée amoureuse de Byron. Mais savait-elle vraiment ce que c'était, l'amour ? Le vrai ? Ce qu'elle ressentait pour lui était différent de ce qu'elle avait éprouvé pour Martin. C'était la seule chose dont elle fût certaine.

Au début, elle s'était crue follement amoureuse de Martin. Sans quoi, elle n'aurait jamais accepté de l'épouser. Et à ce moment-là, elle se sentait aimée. Il avait été très doué pour les compliments, les flatteries. Mais aussitôt après leur voyage de noces, tout avait basculé. Une fois qu'il l'avait eue sous sa coupe, il était devenu un autre homme. Les compliments s'étaient transformés en critiques acerbes, les flatteries en d'incessantes découvertes des prétendus défauts de Cleo.

Après avoir essayé de lui faire plaisir, cédant à tous ses *desiderata*, elle avait compris qu'il était impossible à contenter et que jamais elle ne serait une bonne épouse pour lui.

En revanche, elle avait vite appris à satisfaire Byron. Et

ce n'était pas terminé. Dès ce soir, elle allait expérimenter d'autres voluptés, d'autres raffinements…

Il suffisait d'oublier l'amour et tout irait bien, se dit-elle résolument en refermant les robinets. De penser uniquement à *faire* l'amour. Et au pouvoir qu'elle s'était découvert en voyant Byron perdre tout contrôle.

13.

18 h 55. Byron était en avance, aussi resta-t-il immobile au volant, après s'être garé à deux pas de chez Cleo.

Était-il possible qu'elle soit celle qu'il recherchait ? se demanda-t-il de nouveau. Depuis qu'il l'avait rencontrée, le doute s'insinuait en lui, et le déstabilisait.

Après s'être convaincu du contraire, la pensée que Cleo puisse être exactement l'épouse dont il rêvait lui apportait un calme bienfaisant. Cependant, il ne pouvait se faire confiance. N'avait-il pas cru la même chose avec Eva puis Simone, avant de comprendre qu'il ne s'agissait pas d'amour mais d'un engouement passager ?

Alors, comment pouvait-il être certain de ne pas se tromper ?

Son père avait raison, il lui fallait une femme indépendante sur le plan financier et ayant ses propres activités professionnelles. Or, Cleo aimait son travail et de toute évidence, elle subvenait largement à ses besoins, Scott McAllister lui allouant un généreux salaire. Il appréciait par ailleurs son intelligence, sa franchise et son naturel dénué de tout snobisme.

Bref, elle avait tout pour lui plaire et il l'appréciait de plus en plus. Mais l'aimait-il ? Byron se sentait incapable de répondre à cette question. Quant à Cleo, elle ne l'aimait pas, il en était certain. Sans parler de sa détermination à ne pas se remarier.

Ce qui représentait deux redoutables obstacles sur lesquels il n'avait pas grand pouvoir.

Laissant échapper un soupir exaspéré, Byron descendit de voiture pour se diriger vers la petite maison en bois.

Comme la première fois, son coup de sonnette fut accueilli par de vigoureux aboiements. Puis Cleo ouvrit la porte, flanquée du gardien de la maison, qui regarda Byron avec sa méfiance habituelle.

Sa maîtresse l'accueillit en revanche avec un grand sourire.

Les hanches moulées dans un jean noir, chaussée de boots en daim à talons, noires elles aussi, elle portait une courte veste en cuir rouge corail à fermeture Éclair, ouverte, laissant entrevoir un ravissant haut en soie gris perle. Son parfum exotique et sensuel le troubla, tandis qu'il admirait le chignon souple rassemblé sur le dessus de sa tête. Bientôt, il le déferait et laisserait les longs cheveux cascader sur les belles épaules nues.

Maquillée comme la veille de façon subtile, mais en version plus discrète, avec du fard à paupières gris fumée et un rouge à lèvres de la même teinte que la veste, Cleo était à la fois délicieuse et follement sexy.

— J'aime beaucoup ton look *rock and chic*, dit-il d'une voix un peu rauque.

— J'ai choisi quelque chose de simple, répliqua-t-elle, manifestement enchantée par le compliment.

— Il n'y a rien de simple en toi, trésor. Et j'espère que tu es disposée à ne pas trop traîner au restaurant.

L'éclat qui illumina son regard l'atteignit directement au plus viril de son anatomie.

Donc il s'agissait de désir purement physique et non d'amour, décida-t-il aussitôt. C'était du plaisir charnel qu'ils avaient à partager ensemble. Rien d'autre.

Ce constat ne lui apporta pas le soulagement escompté. En revanche, son corps se fichait bien des contradictions qui lui occupaient l'esprit. Il brûlait littéralement.

— J'ai l'habitude de manger rapidement, murmura-t-elle.

Son expression changea subitement.

— Ah, bonsoir, Harvey, dit-elle à l'homme qui venait d'apparaître. Je vous présente Byron.

*
* *

— Tu es sûre que Doreen ne craint rien avec Harvey ?

Tout en riant, Cleo caressa le torse nu à la peau lisse et satinée de son merveilleux amant.

— Oh ! je ne m'inquiète vraiment pas pour elle ! Je suis sûre qu'elle est en bonne compagnie, au contraire. Je te rappelle que Harvey est le chef de la sécurité de Scott depuis des années.

Et Harvey n'était pas inaccessible, lui.

— Pourquoi cet air triste, tout à coup ?

Se rendant compte que Byron l'observait avec attention, elle chassa tout regret. Mieux valait profiter de l'instant présent.

— Je ne suis pas triste, mentit-elle. Je pensais seulement que tout passe très vite. Trop vite, même.

— Comment peut-on penser à des choses pareilles quand on est aussi belle ? murmura-t-il en lui caressant la joue.

Voyant les yeux de Cleo s'emplir de larmes, Byron retint un juron. Il aurait dû comprendre qu'elle était vraiment triste, bon sang ! Sans doute pensait-elle à son mari qui, de toute évidence, avait dû être un bon amant, à en juger par la façon dont Cleo se comportait avec lui. Dès qu'elle avait eu franchi le pas, Byron avait en effet découvert en elle une maîtresse audacieuse et passionnée. Il s'était trompé en l'imaginant malheureuse en mariage. Ce Martin et elle s'étaient bien entendus dans au moins un domaine…

Ça alors, il n'allait tout de même pas être jaloux d'un mort ! Parce qu'il ne pouvait plus se raconter d'histoires, à présent. Il était bel et bien tombé amoureux de Cleo.

— Ne pleure pas, je t'en supplie, chuchota-t-il. Sinon je vais me mettre à pleurer, moi aussi.

— Toi ? fit-elle avec un faible sourire.

— Oui, moi. Je peux fondre en larmes comme un gamin. J'ai pleuré pendant des semaines, quand mes parents ont divorcé.

— Mais pas quand tu as rompu avec ta dernière fiancée, si ?

Seigneur, pourquoi cette allusion à Simone ? Maintenant ?

— Pas une seule seconde, dit-il avec un petit rire ironique. J'ai ressenti du soulagement, c'est tout. Et une bonne dose d'irritation contre moi-même, d'avoir été stupide au point d'envisager d'épouser une femme intéressée uniquement par mon compte en banque — pour la seconde fois.

Cleo poussa un profond soupir.

— Elles t'avaient probablement dit toutes les deux qu'elles t'aimaient.

— Tout le temps.

— Mais les actes sont plus éloquents que les paroles.

— Exactement !

Le sourire de Cleo s'agrandit, mais resta empreint d'une étrange tristesse.

— Je te promets de ne pas te dire que je t'aime.

L'espace d'un instant, Byron sentit un étau lui enserrer la poitrine, mais il garda une expression détachée.

— Ne te prive pas de le dire, si tu en as envie. Cela ne me dérange pas. Comme je viens de te l'avouer, je suis un grand sentimental.

Elle le regarda un long moment, puis haussa les épaules.

— Ce serait stupide, non ? Tu as déjà assez de pouvoir sur moi sans que je te fasse ce genre d'aveu.

Est-elle consciente de ce qu'elle vient de dire ? se demanda Byron en retenant son souffle.

— Et quel pouvoir ai-je sur toi, trésor ?

Il roula sur le dos, l'entraînant avec lui.

— Tu me fais faire des choses déraisonnables, répondit-elle avec un soupir.

Un soupir résigné, mais aussi terriblement sensuel.

— Quoi, par exemple ?

Pour toute réponse, elle lui embrassa la poitrine, avant d'aspirer un mamelon entre ses lèvres.

14.

— Cette tenue est nouvelle ? demanda Doreen lorsque Cleo entra dans la cuisine, habillée d'un tailleur.

— Non, répondit-elle en se penchant pour caresser Mungo. Mais la femme qui le porte, oui.

Ce matin-là, elle avait décidé de cesser de s'en faire au sujet de sa relation avec Byron, pour vivre leur histoire au jour le jour. De toute façon, elle n'avait pas de contrôle sur ses propres sentiments.

— Je reconnais que je m'étais complètement trompée au sujet de Byron Maddox, dit Doreen. Il vous fait beaucoup de bien, c'est évident.

— J'en connais un autre qui vous fait beaucoup de bien aussi, répliqua Cleo. Et je ne parle pas de Mungo. Même s'il est adorable.

Voyant Doreen rougir, Cleo comprit qu'elle n'était pas la seule à avoir la tête à l'envers.

Une demi-heure plus tard, alors qu'elle se dirigeait vers la gare, elle se dit de nouveau qu'au fond la vie était merveilleuse. Une fois dans le train, elle ne s'immergea pas dans la lecture du journal comme d'habitude. Elle observa les gens, se demandant s'ils étaient aussi heureux qu'elle.

— Vous êtes superbe, dit Leanne en la regardant entrer dans le hall d'accueil.

— Vous aussi, Leanne.

Cleo n'avait pas l'habitude qu'on lui fasse des compliments sur son apparence. En fait, elle avait eu un mal fou à décider quoi mettre pour aller travailler. Grace l'avait convaincue d'acheter un ravissant tailleur-pantalon blanc, mais Cleo le trouvait trop beau et trop élégant pour le bureau. Aussi portait-elle le noir qui lui paraissait maintenant affreusement terne et banal. Par conséquent, c'était sa mine, son allure générale, qui avait impressionné Doreen, puis Leanne.

Dès qu'elle le pourrait, elle retournerait faire du shopping et s'achèterait d'autres tenues, plus simples mais élégantes, pour tous les jours.

Après avoir allumé son ordinateur, elle décida d'appeler Grace pour la remercier de son aide et de ses précieux conseils.

— Bonjour, Cleo. Ravie de vous entendre. Comment allez-vous ?

— Très bien, merci. Je voulais vous remercier de votre aide et de m'avoir consacré votre vendredi.

— Je me trompe, ou vous avez remporté beaucoup de succès, samedi soir ?

— Je crois avoir réussi le test, en ce qui concerne la mère de Byron.

Il faudrait d'ailleurs qu'elle demande à celui-ci s'il savait comment Rosalind avait pris leur disparition.

— Et Byron ? Il a apprécié votre nouveau look ?

Grace se mit à rire.

— Je suis stupide de vous poser la question, poursuivit-elle. Vous l'avez ébloui, j'en suis sûre !

— Il a eu l'air content, répondit prudemment Cleo. Il n'est pas encore arrivé au bureau ?

— Non. Il n'est jamais pressé de se montrer, le lundi matin. Mais il ne devrait pas tarder. Au fait, j'ai lu les pages financières du journal en prenant mon petit déjeuner et j'ai appris que le prix du fer avait remonté. Celui du charbon aussi. Et de l'or, naturellement.

Cleo se mordilla les lèvres. Bon sang ! Elle aurait dû faire la même chose, au lieu de rêvasser bêtement dans le train. Scott lui avait demandé de le remplacer aux commandes, pas de jouer les Cendrillon et de croire au prince charmant. On ne doit pas mélanger affaires et plaisir, c'est bien connu.

— Oui, j'ai vu ça, mentit-elle. Byron a peut-être raté

une bonne occasion : Scott pourrait ne plus avoir besoin d'associé, maintenant. Enfin, je n'aurais pas dû vous dire cela. Ne le répétez pas à Byron, s'il vous plaît, Grace.

— Vous pouvez compter sur moi, Cleo. Et…

— Oui ?

— Je sais que cela ne me regarde pas, mais avez-vous revu Byron, depuis samedi ?

— Nous avons dîné ensemble hier soir, reconnut-elle avec réticence.

— Formidable ! Vous ne pouvez pas savoir comme je suis heureuse que vous vous entendiez bien. Il a vraiment besoin de sortir avec une femme comme vous, après ces deux horribles créatures qui n'en voulaient qu'à son argent !

— J'ai encore du mal à croire qu'il puisse être attiré par moi, avoua Cleo.

— Pas moi. Vous êtes une vraie femme, Cleo. Pas une poupée Barbie. Et vous êtes très séduisante — vous l'étiez même déjà dans cet horrible tailleur noir et vos affreux mocassins. J'espère que vous portez vos nouvelles chaussures, aujourd'hui.

— Bien sûr ! Et vu leur prix, j'ai bien l'intention de les porter tous les jours !

— C'est un bon investissement, des chaussures de qualité. Le tailleur blanc aussi. Mais je parierais que ce n'est pas ce que vous avez choisi pour aller au bureau ce matin…

— Non, j'ai eu trop peur de le salir.

— Je vous rappelle qu'il existe des endroits où l'on s'occupe de ce genre de problèmes. Les pressings.

— Je sais, Grace. Je sais, soupira Cleo. Mais Rome ne s'est pas construite en un jour, n'est-ce pas ?

— Non, c'est vrai. Mais, rassurez-moi, vous vous êtes débarrassée du tailleur noir et des mocassins, au moins ?

— Ils sont dans un sac, prêts pour la boutique de vêtements d'occasion.

Enfin, seulement les mocassins. Mais ce n'était qu'un demi-mensonge, puisqu'elle avait l'intention d'y ajouter le tailleur noir dès qu'elle s'en serait acheté un autre.

— Bravo. Maintenant, je vous laisse — Byron vient d'arriver. Au revoir, Cleo, et bonne journée !

Byron n'était pas de bonne humeur. Parce que la femme qu'il aimait — il en était certain, désormais — persistait à garder ses distances. Pis, elle lui avait bien démontré qu'une seule chose l'intéressait : le sexe et uniquement le sexe. Leur dernière étreinte de la nuit passée ne lui laissait plus aucun doute sur la question. Et cette évidence le mettait dans un état de frustration insupportable.

Pourquoi n'était-elle pas tombée amoureuse de lui, bon sang ? Comme toutes les autres ?

— Bonjour, Grace, dit-il en tournant la tête vers son assistante, mais sans s'arrêter.

— Bonjour, Byron, répliqua-t-elle poliment, une lueur moqueuse au fond des yeux.

— Allez-y, Grace, soupira-t-il. Dites-moi ce que vous avez à me dire et n'en parlons plus.

Elle le dévisagea d'un air innocent.

— J'ignore complètement à quoi vous faites allusion.

— J'aimais beaucoup les femmes, mais je commence à penser qu'elles ont été créées dans le seul but de nous compliquer la vie.

— Penseriez-vous à une femme en particulier, ou aux femmes en général ?

— Vous ne m'aurez pas aussi facilement, Grace ! Contentez-vous de faire votre travail et occupez-vous de vos fichues affaires, d'accord ?

Furieux — contre le monde entier et surtout lui-même —, Byron se réfugia dans son bureau. Cinq minutes plus tard, il demandait à Grace de venir.

— Excusez-moi, dit-il, honteux de s'être montré aussi brutal et grossier avec elle.

— J'accepte vos excuses, répondit-elle en souriant.

— C'est cela qui me plaît en vous, Grace. Vous êtes imperméable à tout ce que je peux vous dire.

— Parce que vous êtes mon patron. Si mon mari me parlait sur ce ton, il passerait un mauvais quart d'heure, croyez-moi ! Mais méfiez-vous quand même : j'ai mes limites. Alors je suggère que vous appeliez Cleo avant d'exploser.

Byron la regarda en haussant les sourcils.

— Comment avez-vous…

— Appelez-la, coupa Grace d'une voix ferme.

Sur ces mots, elle quitta le bureau. Alors, sans plus réfléchir davantage, Byron sortit son téléphone portable de sa poche.

15.

Le lundi matin, lorsqu'il l'avait invitée à dîner et que Cleo avait refusé, prétextant devoir s'occuper de Mungo en l'absence de Doreen, Byron avait aussitôt proposé de venir passer la soirée avec elle. Il avait débarqué peu de temps après avec des plats achetés chez le traiteur. Incapable de lui résister, Cleo avait vite cédé.

Et il en avait été de même les quatre jours suivants, alors qu'elle s'efforçait, en vain, de lui faire comprendre qu'elle n'était pas à sa disposition et que sa vie personnelle ne se résumait pas à leurs rencontres, si fabuleuses fussent-elles.

Une fois que Byron se serait lassé d'elle, il faudrait bien qu'elle réapprenne à vivre sans lui. Sans leurs merveilleuses soirées et longues nuits passionnées…

En outre, il ne s'associerait pas avec Scott, c'était de plus en plus évident, même si les prix des minerais avaient regrimpé. Quand elle lui avait dit que Scott prolongeait son séjour en Thaïlande, Byron n'avait pas sourcillé. Par ailleurs, il ne voulait pas discuter de ce genre de choses avec elle. Lorsqu'ils étaient ensemble, sa priorité n'était pas les affaires mais le plaisir.

Ce qui ne dérangeait nullement Cleo. Elle appréciait beaucoup sa compagnie. Byron était charmant et sa conversation ne manquait pas d'intérêt. D'autant plus qu'il possédait un sens de l'humour très développé. Cependant, il pouvait se montrer dominateur et elle s'en voulait de lui céder trop souvent. Elle ne pourrait supporter de subir le type de dépendance imposée autrefois par Martin. Et puis,

Byron et elle vivaient dans des univers trop éloignés pour qu'il puisse envisager de se lier avec elle de façon plus permanente.

L'aurait-elle souhaité, de toute façon ? N'avait-elle pas toujours pensé qu'elle ne se remarierait jamais ?

Alors pourquoi se laisser aller maintenant à des chimères et s'imaginer que Byron finirait par lui déclarer son amour et lui demander de devenir sa femme ?

Assis en face d'elle ce soir-là, Byron portait un pantalon noir et un pull en cachemire du même bleu que ses yeux. Il était merveilleusement beau. Sûr de lui et inaccessible. Elle lui plaisait. Et il adorait faire l'amour avec elle. Mais il ne l'aimait pas. Sinon, il le lui aurait dit. Souvent.

Réprimant un soupir, elle reposa son verre de vin et reprit sa fourchette et son couteau.

En silence, Byron observait Cleo. À quoi pensait-elle quelques instants plus tôt, lorsque son regard s'était perdu dans le vide ? Elle avait eu l'air songeur, un peu triste…

Décidément, elle ne ressemblait en rien aux femmes qu'il fréquentait d'habitude. Elle ne passait pas son temps à lui parler de choses futiles ni ne lui posait d'interminables questions concernant celles qui l'avaient précédée. Sans doute ne se considérait-elle pas vraiment comme sa petite amie mais uniquement comme sa maîtresse. Aux yeux de Cleo, leur relation n'était qu'une aventure passagère. Purement sexuelle, qu'elle tenait à séparer de sa *vraie* vie.

Or, il déplaisait souverainement à Byron de jouer un rôle exclusif d'amant. Durant la semaine passée, il avait essayé de la faire changer d'attitude. De l'amener à se confier à lui comme à un ami. Il l'avait interrogée, alors qu'ils reposaient nus et apaisés dans son lit. Mais sans aucun résultat. Cleo restait distante. Elle s'abandonnait physiquement avec lui, mais ne le laissait pas pénétrer dans son cœur.

Alors que lui la désirait tout entière. Corps et âme. Et voulait être aimé en retour.

Le moment était venu de le lui montrer.

Dès qu'ils eurent terminé le dessert, Byron lui demanda si elle prendrait du café.

— Non, merci, répondit-elle en levant les yeux vers lui.

— Alors, viens. Allons-nous-en.

La porte du restaurant à peine franchie, il se tourna vers Cleo, l'attira contre lui et l'embrassa avec fougue, presque violemment.

Quand il écarta son visage du sien, c'était de la colère et non de la passion, qu'elle découvrit dans ses yeux.

La lâchant subitement, il se dirigea vers la Lexus garée un peu plus loin et ouvrit la portière côté passager.

— Monte, ordonna-t-il d'un ton sans appel.

Cleo obéit.

— Attache ta ceinture de sécurité !

Un tressaillement la parcourut, mais elle s'exécuta.

— Maintenant, ne dis pas un mot avant que je ne me sois ressaisi. Tu t'en sens capable ?

Elle hocha la tête en silence.

— Parfait.

De son côté, Cleo avait du mal à se contrôler. L'esprit en proie à un véritable chaos, elle contemplait le paysage urbain nocturne qui défilait derrière la vitre, sans rien voir toutefois.

Lorsque Byron descendit la rampe conduisant au parking souterrain, elle avait à peu près réussi à se calmer. Cependant, la colère continuait de frémir en elle. De quoi voulait-il lui parler ? Allait-il l'emmener directement au lit, lui faire l'amour, puis lui annoncer que c'était leur dernière soirée ? Dans ce cas, il se leurrait complètement. Car elle était bien déterminée à ne pas se laisser intimider et à lui dire ce qu'elle pensait de ce type de comportement macho et insupportable !

— Je peux parler, maintenant ? demanda-t-elle quand il eut coupé le contact.

Sa voix était posée alors qu'intérieurement, Cleo tremblait de la tête aux pieds.

— Si tu y tiens vraiment.

— Sois franc avec moi, Byron. Si tu ne veux plus me voir, dis-le. Maintenant.

— Pardon ? fit-il, l'air choqué. Tu as perdu l'esprit ? C'est exactement le contraire ! Je veux te voir tous les jours de ma vie. Je ne désire qu'une chose : que tu deviennes ma femme. Oui, je veux t'épouser, Cleo. Je me suis répété mille fois qu'il fallait être patient, mais quand j'en ai parlé à mon père, il m'a dit que j'étais un idiot d'attendre. Que je devais te parler de mes sentiments. Je t'aime comme un fou, Cleo. Tu ne le vois pas ?

Cleo détourna les yeux. Alors qu'elle avait rêvé de ce moment, qu'elle l'avait désiré en secret, elle se sentait soudain la proie d'un malaise affreux.

Une multitude de doutes et de craintes l'assaillirent. Il avait dit qu'il l'aimait *comme un fou*, ce qui évoquait plutôt un coup de tête. Un sentiment éphémère. Il avait sans doute éprouvé la même chose vis-à-vis de ses deux ex-fiancées, avant de comprendre qu'il s'était trompé et de rompre.

Par ailleurs, Cleo savait qu'elle ne correspondait pas du tout au genre de femme que Byron avait toujours envisagé d'épouser. Elle n'avait pas le profil adéquat et il s'en rendrait compte tôt ou tard. Par ailleurs, elle n'était pas certaine du tout d'avoir envie de devenir sa femme. Elle n'avait pas l'intention de donner sa démission à Scott et de se transformer en maîtresse de maison accomplie. Ni de jouer les femmes au foyer et d'arrêter de travailler pour élever leurs enfants, pendant que Byron voyagerait à travers le monde pour ses affaires.

Car c'est ce qu'il attendrait d'elle. Or, Cleo ne pouvait se plier encore une fois aux *desiderata* d'un mari. C'était terminé, pour toujours. Par conséquent, leur mariage serait voué à l'échec dès le départ.

Alors, mieux valait avoir le cœur brisé tout de suite et une bonne fois pour toutes.

— Tu ne m'aimes pas, Cleo ? demanda-t-il en prenant son visage entre ses mains. C'est ça ?

Au bord des larmes, elle se mordilla les lèvres.

— Mais si, je t'aime, évidemment, murmura-t-elle, gagnée par une insondable tristesse.

Une joie, teintée d'un soulagement indicible, déferla sur Byron.

— Où est le problème, alors ? demanda-t-il.

— Le problème, c'est que je ne veux pas t'épouser, Byron.

L'espace d'un bref instant, une panique insensée le traversa. Si elle refusait de l'épouser, il ne se marierait jamais. Cleo était la seule qu'il désirait et désirerait jamais pour compagne.

— Pourquoi ? s'enquit-il en s'efforçant de garder son calme.

— Tu essaierais de me changer, Byron. Je le sais.

— Pourquoi voudrais-je te changer, alors que c'est de *toi* que je suis amoureux ?

— Le mariage transforme les hommes.

Cette fois, il fut certain que son premier mariage n'avait pas été idyllique.

— Tu commenceras par me demander d'arrêter de travailler, continua-t-elle.

— Jamais. Je te le promets.

— Les promesses sont faites pour être trahies. Comme les vœux. Un homme comme toi aura du mal à rester fidèle, surtout lorsque le désir sera émoussé et que tu commenceras à te lasser de moi.

— Je ne me lasserai jamais de toi.

— Si, forcément.

— Alors, tu refuses de m'épouser ?

— Je n'ai pas le choix.

Byron se passa nerveusement la main dans les cheveux. Il ne fallait surtout pas qu'il insiste, qu'il la bouscule, se dit-il en resserrant les mains sur le volant. Mais il n'avait pas l'intention de renoncer. Ce n'était pas son genre.

— OK, dit-il d'un ton neutre en se tournant vers Cleo. J'ai commis une erreur. J'aurais dû attendre.

Il avait eu tort d'écouter son père. Après tout, lui et Cleo ne se connaissaient que depuis un peu plus d'une semaine. C'était tout ? Byron avait l'impression de la connaître depuis beaucoup plus longtemps que cela. À partir du moment où il l'avait rencontrée, chaque minute avait ressemblé à une éternité. Toutes sortes de rêves étaient nés en lui, qu'il avait nourris en attendant de pouvoir les vivre. Avec elle. Cleo.

L'amour ne rend pas patient, songea-t-il soudain. *Et vous pousse à l'erreur.*

— Et si tu venais t'installer chez moi pendant quelque temps ? proposa-t-il sur le même ton détaché.

Cleo admirait la persévérance de Byron. Ainsi que sa propre capacité à y résister. Peut-être était-ce le fruit de son expérience avec Martin. Elle savait à quoi cela mène, de céder à tous les désirs d'un mari de plus en plus intransigeant et ne pouvait prendre le risque de revivre pareil enfer. Si elle devait finalement accepter d'épouser Byron, il faudrait d'abord que celui-ci comprenne qu'elle ne changerait pas pour lui.

— Je suis désolée, Byron, dit-elle en soutenant son regard. Mais je préférerais que nous ne modifions en rien notre façon de nous voir, jusqu'à ce que je te connaisse mieux.

— Que veux-tu savoir de plus ? riposta-t-il, un peu sèchement. Tu as déjà fait effectuer une enquête sur moi. Je n'ai rien à cacher. Et je suis plutôt un bon parti, au cas où tu ne l'aurais pas encore compris. Je peux t'offrir tout ce que tu désires. Et je suis tout à fait conscient que mon appartement n'est pas le lieu idéal pour un couple qui envisage de fonder une famille, mais…

Il s'interrompit en plissant les yeux d'un air farouche.

— C'est cela, hein ? Tu ne veux pas avoir d'enfants ?

— Non, ce n'est pas cela, Byron. J'adorerais en avoir, je

te l'ai déjà dit. Mais pas en dehors du mariage. Je sais que beaucoup de femmes ne se soucient pas de ce genre de choses et que ça se passe très bien, mais ce n'est pas mon cas. J'ai toujours été convaincue qu'un enfant est plus heureux avec une mère et un père vivant en harmonie l'un avec l'autre.

— Je partage entièrement ton avis. Le divorce de mes parents m'a anéanti, mais j'avais eu la chance de les voir heureux ensemble pendant seize ans, alors j'ai fini par m'en remettre. Lara a eu moins de chance et elle en a gardé des séquelles ainsi qu'un petit côté rebelle. Et puis, elle est terriblement gâtée par ma mère, qui culpabilise.

— D'avoir divorcé ?

— En quelque sorte. Je te dis cela sous le sceau du secret, mais autant que tu le saches, puisque tu vas m'épouser.

Sidérée par un tel aplomb, Cleo ne releva pas.

— Lara n'est pas la fille biologique de Lloyd, poursuivit Byron. Ma mère a entretenu une liaison avec son professeur de tennis. Ça tient du cliché, je sais, mais c'est la vérité.

— Oh ! mon Dieu ! Lara est au courant ?

— Non. Le vrai père non plus. Lloyd a dit qu'il la reconnaîtrait comme sa fille en échange d'un divorce à l'amiable.

— Et toi, comment l'as-tu appris ? Par ta mère ?

— Non. Mon père me l'a confié quand j'ai commencé à dérailler, à l'université. Je lui en voulais, tu comprends. Mais bon, on s'est expliqués tous les deux et depuis, nous sommes les meilleurs amis du monde — en dépit de nos différences. Je n'aime pas toujours la façon dont il gère ses affaires, et lui me trouve trop prudent. Ce qui me rappelle que j'ai quelque chose à te dire. Finalement, je ne m'associerai pas avec Scott, bien que les prix des minerais aient remonté. Ce n'est pas mon truc. Je préfère investir dans l'industrie cinématographique.

— Et tu appelles cela être prudent ? répliqua Cleo en souriant.

— Je sais ce que tu veux dire. Mais Blake Randall recherche un bailleur de fonds et je lui ai dit aujourd'hui que j'étais partant. Je suis désolé pour ton patron, mais je suis certain qu'il va s'en sortir, maintenant que le marché des minerais se porte mieux.

Il s'interrompit, le regard étincelant.

— À présent… Si on montait chez moi pour apprendre à mieux nous connaître, au sens biblique du terme ?

16.

Lorsque, au beau milieu de la nuit, Cleo se rendit à la salle de bains et constata que, de toute évidence, Byron n'avait pas utilisé de préservatif la dernière fois qu'ils avaient fait l'amour, elle fut parcourue par un frisson glacé.

Le cœur battant à tout rompre, elle s'assit sur le petit banc laqué blanc. L'avait-il fait exprès ? Était-ce pour cela qu'il avait choisi ces positions : pour qu'elle ne remarque pas qu'il ne se protégeait pas — et ne *la* protégeait pas non plus ? Avait-il voulu lui tendre un piège pour la contraindre à l'épouser ?

L'angoisse s'empara d'elle. Non qu'elle craignît de tomber enceinte. Elle était en fin de cycle et n'avait jamais de retard. Non, ce qui la mettait hors d'elle, c'était que Byron ait pu lui faire une chose pareille. Comment pouvait-il s'imaginer la contrôler, ou la forcer à changer d'avis, en lui faisant un enfant ?

Se levant d'un bond, elle se dirigea vers la douche, bien décidée à effacer toute trace de leur dernière étreinte.

— Réveille-toi !

Byron ouvrit les yeux et regarda Cleo qui lui secouait brutalement l'épaule.

Il comprit tout de suite la raison de sa colère, mais il n'avait pas omis intentionnellement d'utiliser un préservatif. Alors qu'ils étaient à moitié endormis tous les deux et étroitement enlacés, elle s'était mise à remuer contre lui et il avait réagi d'instinct et l'avait pénétrée sans plus attendre. Quand il avait repris ses esprits, il s'était persuadé que si Cleo tombait enceinte, ce ne serait pas bien grave. Il l'aimait et désirait l'épouser, et voulait lui faire un enfant, de toute façon. Alors, où était le problème ?

— Tu croyais vraiment que tu allais t'en tirer comme ça ? demanda-t-elle d'un ton sec. Tu pensais peut-être que je ne m'en rendrais pas compte ?

— Excuse-moi. Je ne l'ai pas fait exprès. Vraiment pas. J'étais à moitié endormi.

— Tu mens ! Tu savais très bien ce que tu faisais, au contraire ! Tu n'aimes pas qu'on te refuse quelque chose, n'est-ce pas ? Alors, tu as tenté le mariage forcé.

— Pas du tout, se défendit-il. Mais s'il s'avérait que tu étais enceinte, serait-ce une catastrophe ? Je t'aime et je veux t'épouser, Cleo. Et avoir des enfants avec toi. Et puis, quand j'ai compris que j'avais oublié de mettre un préservatif, il était trop tard, de toute manière. Et je me suis dit… Enfin, j'ai pensé…

— Si tu avais vraiment *pensé*, le coupa-t-elle, les joues en feu, et que tu me connaissais *un tant soit peu*, tu aurais su que c'était le meilleur moyen de me faire fuir, Byron. Mais tu ne me connais pas, naturellement. Parce que sinon, tu aurais été patient. Mais non, il fallait que tu obtiennes tout de suite satisfaction. Alors tu as essayé de me contraindre à t'épouser, en te servant d'un pauvre petit innocent et sans te soucier de ce que je pourrais ressentir si je tombais enceinte.

— Cleo, je…

— Tais-toi, Byron ! Je ne supporte plus de t'entendre ! Tu dis que tu m'aimes, mais tu ne sais rien du véritable amour. Tout ce que tu connais, ce sont tes désirs. Et tu considères les autres — surtout les femmes — uniquement comme un moyen de les satisfaire, ces désirs. Je plains tes deux ex-fiancées, au fond. Mais ne compte pas sur moi pour prendre la relève ! Maintenant, je vais me rhabiller et rentrer chez moi. Non, pas la peine de te lever. J'appellerai un taxi. J'en ai plus qu'assez de ta charmante compagnie et je ne supporterais pas…

— Cleo, pour l'amour du ciel ! l'interrompit-il. Tu ne peux pas t'en aller comme ça !

Sans l'écouter, elle ramassa ses vêtements à la hâte et se dirigea vers la salle de bains.

— Si, et je vais te le prouver, dit-elle en se retournant. Parce que tu n'existes plus pour moi. Point final.

Byron posa les pieds sur le tapis

— Tu ne penses pas ce que tu dis, protesta-t-il, atterré.

— Au contraire.

— Mais tu m'aimes, Cleo !

— Oui, j'ai été assez stupide pour tomber amoureuse de toi ! s'exclama-t-elle avec un rire dur. Mais avec le temps, je réussirai à t'oublier, fais-moi confiance.

Il plissa les yeux.

— Tu es en colère. Je t'appellerai demain et…

— Non. Tu perdrais ton temps.

— Je fais ce que je veux de mon temps, riposta-t-il, furieux.

OK, il s'était comporté comme un imbécile, mais il n'avait rien fait de mal, bon sang ! La colère de Cleo n'était pas entièrement dirigée contre lui, c'était évident. Le plus important, c'était qu'elle l'aimait. Alors, pas question de renoncer à elle, à leur amour. Cleo était la seule, l'unique, et il n'allait pas la laisser sortir de sa vie comme ça.

— Je t'appellerai, répéta-t-il.

La porte de la salle de bains claqua.

Lorsque Cleo ressortit deux minutes plus tard, habillée, il ne dit pas un mot. Le cœur lourd, il la regarda appeler un taxi, puis s'en aller. Si seulement il avait pu revenir en arrière… Hélas, par son attitude irréfléchie, il n'avait fait que compliquer la situation avec elle.

Mais rien n'était perdu. Quand on aime vraiment quelqu'un, tout est possible. Et elle l'aimait autant qu'il l'aimait. Alors elle finirait par lui pardonner.

Le contraire était inconcevable.

17.

Le mercredi suivant, Cleo venait de s'installer devant son ordinateur lorsque Harvey entra dans son bureau avec un vase contenant un énorme bouquet de roses rouges.

— Le livreur attendait à l'accueil quand je suis arrivé, expliqua-t-il. Ça vient de Byron, je suppose ?

— Oui, répondit-elle d'un ton froid. Il m'en envoie tous les jours à la même heure. C'est le sixième.

Durant le week-end, il les avait fait livrer chez elle.

— Je demanderai à Leanne de les faire porter à l'association qui s'occupe des femmes en difficulté, comme je l'ai fait pour les autres.

Enfin, celles du week-end avaient atterri dans la poubelle, à la grande consternation de Doreen.

Harvey posa le vase devant elle, puis détacha la petite enveloppe blanche, qu'il lui tendit.

— Qu'est-ce qu'il vous écrit ?

Sa curiosité ne choqua pas Cleo. Depuis qu'il sortait avec Doreen — et leur relation semblait progresser rapidement —, Harvey et elle étaient devenus amis.

— Toujours la même chose : « Je suis désolé. Je t'aime. Pardonne-moi, je t'en supplie. »

— Pourquoi ne lui pardonnez-vous pas ?

— Parce que je ne peux pas, c'est tout, répondit-elle en se raidissant sur son siège.

— Non, vous ne *voulez* pas.

— Si vous le dites.

— Oui, je l'affirme, même. Ne vous laissez pas aveugler par l'orgueil, Cleo.

— Ce n'est pas une question d'orgueil, Harvey. Vous vouliez me demander quelque chose ?

— Non. Seulement vous dire que Doreen s'inquiète pour vous. Vous ne mangez pas, ne dormez pas…

Si, elle dormait, mais seulement parce qu'elle prenait les somnifères prescrits par le médecin après la mort de Martin. Le traitement fonctionnait, mais elle se réveillait avec l'impression d'être exténuée, émotionnellement vidée.

— Elle aurait peut-être pu m'en parler elle-même, non ?

— Doreen n'aime pas les conflits, répondit Harvey avec un haussement d'épaules. Elle m'a raconté ce qu'elle avait subi avec son mari et il n'y a pas besoin d'être psychologue pour comprendre que son fils était comme lui.

— En effet, il l'était, acquiesça Cleo, la poitrine serrée.

— Byron n'a pas à subir les conséquences de ce que vous avez vécu avec votre mari.

— Non. Il subit les conséquences de ce qu'*il* m'a fait.

— Bon, je ne peux pas parler de cela, évidemment. Mais permettez-moi de vous dire qu'il s'agit de votre bonheur, Cleo. Vous avez le droit de tout ficher en l'air, si c'est ce que vous désirez, mais j'ai promis à Doreen d'essayer de vous faire entendre raison. Mission accomplie. Bon, quand revient le patron ?

— Il devrait arriver d'une minute à l'autre.

Au même instant, Cleo entendit la voix de Scott, puis celle de Sarah, avant de voir la porte s'ouvrir sur eux. Harvey les salua tour à tour, puis laissa Cleo avec le couple.

Tous deux la dévisageaient à présent. Bien sûr, c'était son apparence qui les stupéfiait. Elle portait ce jour-là son nouveau tailleur blanc — sorte de provocation au désespoir qui lui étreignait le cœur — et s'était fait un chignon, mais qui n'avait rien à voir avec celui d'autrefois. Et elle était maquillée.

Sarah fut la première à comprendre la raison de sa

métamorphose. Son regard alla de Cleo au bouquet de roses rouges, puis revint se poser sur elle.

— Vous avez un admirateur, j'ai l'impression ! s'exclama-t-elle. Et le look qui va avec. C'est bien ça ?

— Plus ou moins, répondit Cleo d'un ton évasif.

— Oh ! racontez-nous !

— Je… Je ne pense pas que…

— Sarah, pour l'amour du ciel, intervint Scott. Tu es venue pour donner à Cleo cette ravissante écharpe que tu as achetée pour elle, pas pour la soumettre à un interrogatoire. Mais je dois avouer que je vous trouve superbe, Cleo. Celui qui est responsable de ce changement doit être quelqu'un de très spécial…

Oui, il l'était. Et s'il ne s'était pas conduit de façon odieuse, elle serait sans doute fiancée avec lui et se préparerait à l'épouser. Au lieu de se morfondre dans sa solitude, en proie à une tristesse et à une amertume sans fond.

Horrifiée, Cleo se rendit compte que des larmes roulaient sur ses joues. Avisant l'expression consternée de Scott et de Sarah, elle se cacha le visage entre les mains.

— Scott, tu veux bien aller chercher la boîte de mouchoirs que tu as toujours sur ton bureau, s'il te plaît ? fit Sarah tout en entourant de son bras les épaules de Cleo.

Lorsqu'il revint et que Cleo eut séché ses larmes, Sarah lui proposa d'aller prendre un café dehors.

Cleo la suivit en repensant au jour où, faisant preuve d'une audace incroyable, elle-même était allée trouver Sarah, partie s'installer chez Cory, son meilleur ami. Elle et Scott traversaient alors une crise sérieuse et frôlaient la séparation. Voyant l'état de Scott se dégrader de jour en jour, Cleo avait pris l'initiative d'aller voir Sarah pour la supplier de donner une seconde chance à Scott. Ce que celle-ci avait fait, mais en posant *ses* conditions. Cleo admirait beaucoup Sarah et décida que cela lui ferait du bien de se confier à quelqu'un qui comprendrait aussitôt sa situation.

En fait, Sarah ne la comprit pas du tout.

— Vous avez rompu avec lui parce qu'il n'avait pas utilisé

de préservatif, c'est cela ? Alors que vous saviez que vous ne seriez pas enceinte de toute façon ?

— Oui, confirma Cleo en jetant un œil à la salle bondée où elles étaient maintenant installées.

Pourvu que personne n'écoute leur conversation…

— Mais ce qu'il a fait n'est pas si grave, Cleo. Surtout qu'il ne l'a pas fait intentionnellement, au départ. Et cela n'est arrivé qu'une seule fois, alors qu'il dormait à moitié, si j'ai bien compris. Si tout s'est passé comme vous venez de me le raconter, c'est qu'il vous aime vraiment. Vous lui avez plu, alors que vous n'étiez pas attirante, Cleo. Excusez-moi, mais c'est la réalité. Je reconnais que Byron Maddox ne m'avait pas fait une très bonne impression, lorsque je l'ai rencontré à l'hippodrome, l'an dernier. Mais c'était son horrible fiancée qui m'avait profondément déplu, en fait. Superbe, certes, mais le genre de créature qui se prend pour le nombril du monde et qui a un tiroir-caisse à la place du cœur.

Elle regarda Cleo un instant en silence.

— Vous vous souvenez de ce que vous m'avez dit lorsque vous êtes venue me voir chez Cory, quand j'avais quitté Scott ? Moi je me le rappelle très bien : vous m'avez expliqué qu'il reconnaissait s'être trompé et qu'il regrettait. Vous m'avez ensuite suppliée de lui accorder une seconde chance avant d'ajouter qu'il le méritait. Alors, vous devez vous aussi donner une seconde chance à Byron, Cleo, parce que je crois qu'il vous aime vraiment — à l'inverse de votre premier mari.

— Qu'est-ce qui vous fait dire cela ? demanda Cleo, interloquée. Martin m'aimait.

— Vous croyez ?

— Oui… À sa façon…

— Et quelle était-elle, sa façon ? insista doucement Sarah.

Cleo soupira, puis lui raconta toutes les horreurs qu'elle avait endurées avec Martin, jusqu'à ce qu'il apprenne qu'il avait un cancer.

— Quel salaud, murmura Sarah.

— Il ne connaissait rien d'autre, dit Cleo en s'essuyant les yeux. Il avait pris modèle sur son père.

— Ce n'est pas une excuse, Cleo. Vous le savez bien.

— Oui, vous avez raison. En fait, j'allais le quitter quand on lui a annoncé qu'il avait un cancer. Après, il a changé.

— Vous voulez dire qu'il ne pouvait plus vous contrôler.

— Oui, c'est exactement cela.

— Mais vous êtes ressortie de cette histoire avec la peur des hommes et la hantise de retomber sous la coupe d'un tyran.

— Oui, reconnut Cleo en soupirant.

— Il faut que vous alliez raconter tout cela à Byron. Que vous lui fassiez comprendre qu'il ne doit *jamais* recommencer comme l'autre jour. Que c'est *vital* pour vous. Vous désirez avoir des enfants, n'est-ce pas ?

— Oui. Mais je veux que ce soit une décision commune.

— Dites-le aussi à Byron. Je suis sûre qu'il est prêt à vous écouter, maintenant.

— Je… Je ne sais pas…

— Je ne vous laisserai pas partir d'ici avant que vous ne l'ayez appelé pour lui dire que vous voulez le voir, répliqua Sarah en croisant les bras. Vous m'avez fait promettre la même chose avec Scott, vous vous souvenez ?

— C'était différent.

— Je ne vois pas en quoi. Sortez votre portable et appelez-le ! Maintenant.

Soudain, Cleo repensa aux paroles de Harvey : « Ne vous laissez pas aveugler par l'orgueil, Cleo. »

— D'accord, dit-elle.

Mais quand elle appela Byron, elle tomba sur sa messagerie. Décontenancée, elle tenta le numéro du bureau, mais ce fut Grace qui répondit.

— Bonjour, Cleo ! dit celle-ci, l'air surpris et ravi.

— Je voudrais parler à Byron, Grace. Il est là ?

— Non. Il a dit qu'il sortait mais sans préciser où il allait. Vous avez essayé de le joindre sur son portable ?

— Oui, je suis tombée sur son répondeur.

— Cela ne m'étonne pas. Il ne veut parler à personne. Il est très abattu, Cleo. Très… déprimé.

Déprimé ? Byron ?

— Je lui dirai que vous cherchez à le joindre, ajouta Grace.

— Merci. Et remerciez-le pour les roses.

— Les roses ? Quelles roses ?

Ainsi, il n'avait pas demandé à Grace de s'en occuper… Il s'en était chargé lui-même…

À cet instant, un signal sonore annonça l'arrivée d'un SMS sur le portable de Sarah.

— Je l'ai trouvé ! s'exclama-t-elle. Il est avec Scott, et il ne bouge pas. Il vous attend.

— J'ai tout entendu, dit Grace. Allez le retrouver et faites la paix avec lui, Cleo, je vous en supplie. Sinon, je crois que je vais craquer…

Cleo sourit. Elle avait vécu exactement la même chose avec Scott, au moment de la crise qu'il traversait avec Sarah.

— D'accord, Grace. Au revoir et à bientôt.

Puis elle tourna les yeux vers Sarah.

— On y va ?

18.

Byron avait du mal à se concentrer sur ce que disait Scott. Il songeait à Cleo et, ne sachant quel accueil elle allait lui réserver, il appréhendait un peu de la revoir.

Depuis leur dernière rencontre, il avait résisté au désir de la bombarder d'appels et de SMS, se contentant de lui envoyer des roses chaque jour — sans obtenir aucune réaction en retour. Alors ce matin-là, il n'avait pu supporter plus longtemps d'attendre et était venu au siège de McAllister Mines pour lui parler, avant d'apprendre que Scott était rentré et que Cleo était sortie prendre un café avec sa femme, Sarah.

— Elles arriveront bientôt ? demanda-t-il malgré lui.

— Elles sont en route.

Scott le regarda un instant en silence avant d'ajouter :

— Je peux vous demander ce qui a causé tout ce raffut ?

— Non.

— Ah, c'est sérieux, alors. Mais bon, cela ne peut pas être aussi grave que ce que j'ai fait il n'y a pas si longtemps, et Sarah et moi sommes toujours ensemble. Si vous vous aimez vraiment, tout finira par s'arranger.

— J'espère que vous avez raison.

— Je connais Cleo. Il y a beaucoup d'amour en elle. Vous êtes au courant, pour son premier mariage ?

— Plus ou moins, répondit Byron, crispé.

— Sarah pense que son mari la tyrannisait.

— C'est ce que je commence à croire aussi.

— Elles arrivent, chuchota Scott en se levant.

Les nerfs tendus à craquer, Byron l'imita au moment où des coups discrets furent frappés à la porte.

— Entrez ! cria Scott.

Sarah entra la première, ravissante dans un pantalon fluide gris clair et un pull en mohair bleu glacier. Lorsque Cleo apparut à son tour, Byron retint son souffle. Vêtue d'un élégant tailleur-pantalon blanc mettant en valeur ses cheveux châtain foncé et son teint légèrement hâlé, elle était... divinement belle. Une longue écharpe de soie turquoise passée autour du cou, elle dégageait un charme à la fois raffiné et décontracté, qui lui allait à ravir.

Et surtout, elle semblait très heureuse de le revoir...

— Bonjour, Byron, dit Sarah sans sourire. Il paraît que vous avez fait des bêtises.

Il tressaillit, tandis que Cleo fronçait les sourcils.

— Ma chérie, commença Scott en s'avançant vers sa femme. Je crois que Byron aimerait dire quelques mots en privé à Cleo. Que dirais-tu de descendre faire un tour avec moi, pendant qu'ils discutent tranquillement tous les deux ?

Sans attendre la réaction de Sarah, il lui prit le coude et l'entraîna vers la porte, puis referma celle-ci sur eux.

Immobile en face de Cleo, Byron la regarda un long moment en silence.

— Charmant, ton patron, dit-il enfin.

Incapable de faire un geste ou de prononcer un mot, Cleo se contentait de dévorer Byron des yeux. Dans ce costume bleu nuit, il était encore plus somptueux, plus attirant. Mais il ne devait pas beaucoup dormir, ces temps-ci. Des cernes foncés soulignaient ses beaux yeux bleus et il avait maigri. Ses pommettes ressortaient davantage.

Le fait de l'avoir fait souffrir l'attrista. Elle n'était pas cruelle, mais il fallait que Byron comprenne qu'elle était une survivante et qu'elle ne pouvait supporter le type de comportement dont il avait fait preuve avec elle. Alors, même si elle lui avait maintenant pardonné ce malencontreux « oubli », il devrait s'engager à respecter sa liberté dans tous les domaines. À ne jamais chercher à la dominer, la contrôler ou la manipuler. Cleo désirait être son égale en tout. Sinon, leur couple serait voué à l'échec.

— Je suis tellement désolé, Cleo, dit-il soudain.

— Je sais, répliqua-t-elle en souriant. Et je te pardonne.

Une lueur d'espoir éclaira ses yeux bleus.

— Complètement ?

— Oui. Mais tu as eu tort de te comporter comme tu l'as fait.

— J'en suis conscient.

— Moi aussi, je suis désolée, répliqua-t-elle. J'ai réagi de manière un peu excessive et je voudrais t'expliquer pourquoi.

— Je ne crois pas que tu aies…

— Byron ! l'interrompit-elle en levant les yeux au ciel. Tu veux bien t'asseoir et m'écouter ?

Surpris par l'accent d'autorité colorant sa voix, il obéit et se rassit sur sa chaise, tandis que Cleo contournait le bureau et s'installait dans le fauteuil de Scott.

— Je vais te raconter l'histoire d'une toute jeune adolescente qui, après avoir perdu ses parents dans un accident de voiture, est allée vivre avec ses grands-parents âgés qui sont morts tous les deux avant ses dix-neuf ans, la laissant seule au monde.

Cleo déglutit avec difficulté, puis poursuivit son récit sans le regarder. Fixant la fenêtre, elle s'efforça de tout lui expliquer le plus calmement possible. Quand elle en arriva à la mort de Martin, les larmes se mirent à couler sur ses joues. Mais lorsque Byron voulut se lever, elle l'arrêta d'un geste.

— Non, dit-elle d'une voix étouffée. Je n'ai pas encore fini.

Redressant les épaules, elle se ressaisit et lui raconta comment elle en était venue à se promettre de ne plus jamais se laisser contrôler par un homme et de rester totalement indépendante. D'où sa décision de ne pas se remarier et de renoncer à avoir des enfants. Ainsi que son manque d'intérêt pour son apparence.

— Du moment que j'étais correcte, cela me suffisait, dit-elle. Jusqu'au jour où je t'ai rencontré, et… et…

Incapable de continuer, elle tendit la main vers la boîte de mouchoirs.

Byron ne pouvait supporter de voir Cleo pleurer. Cela lui déchirait le cœur. Il brûlait d'aller vers elle, de la prendre dans ses bras. Mais il pressentait qu'elle avait besoin d'un peu de temps pour se ressaisir.

Il repensa à ce qu'elle venait de lui raconter. Les premières années de son mariage avaient dû être un véritable enfer pour elle. Personne à qui confier qu'elle avait épousé un tyran et un lâche. Mais elle-même ne jugeait pas son mari comme tel, sinon elle ne serait pas restée et ne l'aurait pas soigné durant sa maladie. Elle était meilleure que ce salaud, c'était évident. Mais elle restait marquée par ce qu'elle avait vécu avec lui.

Lui aussi, il était marqué par son passé, au fond. Le divorce de ses parents l'avait profondément affecté, ainsi que l'infidélité de Rosalind. Plus tard, il avait compris que son père n'était qu'un homme et non un dieu juché sur un piédestal.

La vie n'épargne personne. Le plus important, c'est la façon dont chacun réagit aux épreuves qui lui tombent dessus à l'improviste.

— Je peux te parler, maintenant ? demanda-t-il doucement.

Cleo reprit un mouchoir en papier, avant de s'essuyer les yeux.

— Oui, je crois.

— Je comprends tout à fait pourquoi tu as réagi comme tu l'as fait, lorsque tu as découvert que je n'avais pas utilisé de préservatif. Et je sais que de ton côté, tu as compris que je n'avais pas cherché délibérément à te piéger. Je me suis conduit de façon égoïste, sans penser à ce que tu pouvais désirer ou craindre, mais je t'aime, ma chérie, et je désire plus que tout t'épouser. Alors, dis-moi oui, s'il te plaît. Car je sais que tu m'aimes aussi.

De nouveau, l'inquiétude se lisait sur son joli visage.

— Byron, comment peux-tu être certain de m'aimer ? Peut-être s'agit-il uniquement de désir charnel ? Je me pose la question de mon côté, parce que nous ne nous connaissons que depuis deux semaines, après tout !

— Cela me suffit amplement. Mais comme je vois que tu as besoin de plus de temps, je...

Comme elle secouait la tête, il caressa sa joue.

— Non, poursuivit-il, ce n'est pas ce que tu crois. Je ne vais pas te redemander tout de suite de m'épouser. Je te propose de me laisser trois mois pour te prouver que nous nous aimons vraiment et que nous serons heureux ensemble. Il faut que tu sois sûre que je ne deviendrai pas comme ton premier mari, et je le comprends. Alors, je vais te montrer que je t'aime telle que tu es, que j'admire et respecte ton indépendance, ta force de caractère et ton intégrité, et que je ne voudrais pour rien au monde que tu changes.

Byron s'interrompit et riva son regard au sien.

— Qu'est-ce que tu en dis, Cleo ? Trois mois, ça t'irait ?

— Trois mois, répéta-t-elle lentement.

— Ça devrait suffire, non ?

— Je... Je pense que oui...

— Parfait, répliqua-t-il en souriant. Marché conclu, alors.

Sans plus attendre, il se leva, contourna le bureau de Scott, souleva Cleo dans ses bras et la serra contre lui.

Elle ne protesta pas, c'était bon signe. Et quand il l'embrassa, elle ne protesta pas non plus.

19.

— *Tonight... tonight... !* chantait Cleo tout en se regardant dans le miroir de sa chambre.

Étendu à ses pieds, Mungo s'était mis à couiner.

— Oui oui, je sais, je chante faux.

Se tournant de profil, elle contempla sa silhouette moulée dans la robe fourreau en jersey de soie violet achetée pour l'occasion et sourit. Ce soir, Byron l'emmenait dans un restaurant ultra-chic situé sur les quais de Walsh Bay, dans le quartier historique des Rocks. Et il allait lui demander sa main en bonne et due forme — Cleo en était certaine.

Et cette fois, elle dirait *oui* sans la moindre hésitation, les trois mois passés lui ayant démontré que Byron était le mari dont elle rêvait. Le seul lieu où il tentait de la dominer, c'était la chambre, mais cela ne la dérangeait pas. D'autant qu'elle-même ne manquait pas d'imagination et réussissait parfois à le surprendre en le soumettant à ses propres initiatives ou demandes.

Lorsque la sonnette de la porte d'entrée retentit soudain — et que, étrangement, Mungo n'aboya pas —, le cœur de Cleo fit un bond dans sa poitrine. L'homme qu'elle adorait était là. Celui qui allait devenir son époux et le père de ses enfants. Byron avait dit qu'il en désirait au moins un, et de préférence deux. Ce qui convenait parfaitement à Cleo : deux était un bon chiffre.

— Waouh ! s'exclama-t-il quand elle lui ouvrit la porte.

— Tu n'es pas mal non plus ! répliqua-t-elle en souriant.

Pour la première fois, il portait un costume noir, sur une chemise noire elle aussi, au col entrouvert et sans cravate.

— Très Quentin Tarantino, comme look, ajouta-t-elle.

Tous deux adoraient le cinéma et pouvaient en parler durant des heures.

— Tu es prête ? Et ça ira pour le chien, si on le laisse tout seul ?

— Comment sais-tu qu'il sera tout seul ? demanda Cleo en haussant les sourcils.

— On est vendredi, répondit-il avec un haussement d'épaules. Et en général, Harvey et Doreen sortent, ce soir-là.

— Pas toujours. Mais tu as raison, ils sont partis tout à l'heure. De toute façon, Mungo peut très bien rester seul, tant qu'on lui laisse la télévision allumée ainsi qu'à boire et à manger. Et je l'ai sorti avant de me préparer.

— Doreen compte rentrer ce soir ? demanda Byron d'un ton détaché.

— Oui, pourquoi ? Tu as l'intention de me garder toute la nuit ?

— Comment l'as-tu deviné, ma chérie ? s'exclama-t-il en riant.

— Oh ! je ne sais pas, murmura Cleo d'un air faussement ingénu. L'intuition féminine…

— Viens, alors ! Ne perdons pas de temps : une longue nuit nous attend.

Cleo bavardait gaiement avec Byron dans la voiture lorsqu'elle réalisa qu'ils avaient contourné le centre-ville et se dirigeaient vers la banlieue est.

— Où allons-nous ?

— Je t'emmène dans un endroit romantique pour te faire ma demande. Ensuite, nous irons dîner et fêter ça.

— Et si je refuse ? le taquina-t-elle.

— Tu ne refuseras pas, répliqua-t-il avec assurance.

Bientôt, il s'engagea dans une allée privée conduisant à

une propriété bordant la baie de Sydney. Les hautes portes métalliques pivotèrent en silence sur leurs gonds.

— C'est le manoir de mon père, fit Byron en se tournant vers elle.

— Je croyais qu'il l'avait vendu ?

— Oui, mais le nouveau propriétaire n'occupera les lieux qu'à partir de demain et mon père m'a donné la permission de venir ici ce soir. On a une vue fabuleuse depuis la terrasse : c'est l'endroit idéal pour demander à la femme de ma vie, si elle veut bien m'épouser.

— Arrête de dire des choses pareilles ou je vais me mettre à pleurer.

— Pas question. Cela gâcherait ton maquillage et les photos.

— Les photos ?

— Celles que nous allons prendre. Avec l'Opéra et le Harbour Bridge en toile de fond.

Éblouie, Cleo contempla les jardins magnifiques, les colonnes de marbre entourant la porte principale de l'élégante bâtisse à deux étages. Des allées de gravier serpentaient çà et là, conduisant à des bancs installés à l'ombre de grands arbres.

— Ton père vend le manoir tout meublé ? demanda-t-elle bientôt en traversant un grand salon au mobilier raffiné.

— Pardon ? Oh ! oui.

— Le nouveau propriétaire doit être très riche.

— Oui, très.

Byron l'entraîna vers la terrasse, qui offrait en effet un panorama grandiose.

— Enfin, dit-il avec un profond soupir.

Stupéfaite, Cleo le vit mettre un genou à terre, puis sortir un petit écrin de velours noir de sa poche. Quand il en souleva le couvercle, elle sentit les larmes lui monter aux yeux. Des larmes de joie. Pas parce que le diamant était énorme et d'une beauté époustouflante, mais à cause de sa signification.

— Me feras-tu l'honneur de devenir ma femme, ma chérie ? demanda Byron, la voix légèrement tremblante.

— Oui ! Bien sûr que oui ! s'exclama Cleo en essuyant ses larmes.

Après s'être redressé, il souleva la bague du coussinet et la lui glissa au doigt maintenant dépourvu d'alliance. Deux mois plus tôt, Cleo avait en effet ôté l'anneau qui l'avait liée à un autre homme, dans une autre vie.

La bague lui allait à la perfection, de la même façon qu'elle et Byron allaient merveilleusement bien ensemble.

— Alors, elle te plaît, cette maison ? demanda-t-il comme elle bougeait la main pour faire miroiter le diamant.

— Oui, elle est magnifique.

— Elle est à nous. À toi et à moi. C'est moi qui l'ai achetée. Mon père voulait me la donner, mais je n'ai jamais été partisan du népotisme, ni acquis quoi que ce soit sans avoir travaillé pour l'obtenir.

— Mais, ce manoir a dû te coûter une fortune ! protesta Cleo, saisie de vertige.

— En effet. Mais c'est un bon investissement.

— Oh ! Byron, tu es si généreux avec moi…

— Tu le mérites, ma chérie. Et puis, je peux me permettre de te gâter.

Il l'embrassa. Encore et encore. Les yeux fermés, Cleo s'abandonna à son bonheur lorsque soudain, elle sentit une main lui tapoter l'épaule.

S'écartant de Byron, elle se retourna d'un mouvement vif, et découvrit Lloyd Maddox et sa superbe femme qui les regardaient en souriant.

— Désolé de vous interrompre, dit le père de Byron. Mais les invités commencent à se sentir à l'étroit dans le chalet. Vous pensez qu'ils peuvent venir faire la fête ?

Cleo le regarda en silence, puis se tourna vers Byron.

— Tu as organisé une fête pour nos fiançailles ?

— Eh oui ! C'est bon, les amis ! Vous pouvez venir ! cria-t-il en direction des jardins.

Les invités apparurent bientôt sur la terrasse, riant et se

bousculant pour venir les féliciter. Tous ceux qui comptaient pour elle et Byron étaient là. Doreen et Harvey, Scott et Sarah, Grace et son mari, Rosalind et Lara. Ensuite, Blake Randall et sa petite amie du moment se joignirent à la joyeuse petite troupe, ainsi que des amis de Byron que Cleo n'avait encore jamais rencontrés.

Tous prirent l'heureux couple en photo avec leurs smartphones, jusqu'à ce que soudain, des serveurs élégants chargés de grands plateaux sortent de la maison et viennent leur offrir à manger et à boire.

Lorsqu'un peu plus tard, Sarah lui annonça qu'elle attendait des jumeaux, Cleo fut sincèrement ravie pour elle et Scott.

— Ce sont des vrais jumeaux ? demanda-t-elle.

— Non. Un garçon et une fille.

— Génial ! Une famille complète d'un seul coup !

— C'est ce que Scott a dit. Mais moi, j'en veux plus que deux : au moins six.

— Non… ? !

— Scott a eu la même réaction ! s'exclama Sarah en riant.

— Qu'est-ce que vous racontez, toutes les deux ? s'enquit Byron en les rejoignant.

— Sarah attend des jumeaux, répondit Cleo. Un garçon et une fille.

Sans dire un mot, Byron lui passa le bras autour de la taille et la serra contre lui. Il désirait lui aussi avoir des enfants, plus encore qu'elle. Et ils en auraient, bientôt. Mais deux suffiraient amplement à Cleo…

Quand, bien après minuit, les invités quittèrent peu à peu le manoir, Byron lui fit visiter les pièces qu'elle n'avait pas encore vues, puis la fit entrer dans la suite principale, qui allait devenir la leur. La chambre ouvrait sur un vaste balcon offrant une vue encore plus belle que celle de la terrasse.

— J'adore cette maison, dit Cleo en se tournant vers Byron. Et maintenant que je n'ai plus besoin de la mienne, j'aimerais la donner à Doreen. Comme ça, Harvey pourrait venir vivre avec elle et Mungo.

— Très bonne idée.

— J'en ai une autre, qui devrait te plaire, je pense.

— Je suis tout ouïe, ma chérie.

— À partir de ce soir, tu n'utilises plus de préservatif.

Les yeux bleus flamboyèrent.

— Tu parles sérieusement ?

— Oui.

— Eh bien, je l'adore, ton idée ! répliqua Byron en la soulevant dans ses bras.

Quand ils se marièrent deux mois plus tard, Cleo était déjà enceinte. D'une fille, apprirent-ils peu après.

Harvey et Doreen se marièrent juste avant Noël, au cours d'une cérémonie toute simple, avec Cleo et Byron pour témoins et seuls invités.

Les jumeaux de Sarah, Edward et Abigail, vinrent au monde avec un mois d'avance, le jour de la fête nationale.

Quant à Cleo, elle accoucha de sa fille April quatre mois plus tard. Un bonheur inouï, qui rendit Byron fou de joie. Auprès de sa femme et de leur enfant, il était désormais le plus heureux des hommes.

Retrouvez en août 2018,
dans votre collection

Azur

'enfant du sultan, de Carol Marinelli - N°3982

NFANT SECRET

epuis toujours, Gabi rêve du mariage. Elle en a même fait son métier. Chaque our, elle pare ses clientes de robes splendides et leur offre de fabuleux épilo-ues romantiques. Chaque nuit, en revanche, c'est elle qui a la place d'honneur, u côté d'Alim. Hélas, elle ne sait que trop bien qu'épouser cet homme restera jamais un songe. Car il est l'héritier du trône de Zethlehan, un pays riche et rospère dont la famille royale est vénérée. Un jour, Alim deviendra le Sultan es Sultans. Et, ce jour-là, il se désintéressera d'elle – et de l'enfant qu'elle attend e lui...

on patron argentin, de Maya Blake - N°3983

OUP DE FOUDRE AU BUREAU

ongtemps, Sienna a considéré son patron, Emiliano Castillo, comme inacces-ible. Mais voilà maintenant un an qu'elle est sa maîtresse. Peu à peu, elle s'est utorisée à penser que leur liaison allait au-delà d'une fantastique entente dans a chambre à coucher. Dans le secret de son cœur, elle a imaginé une relation lus durable, plus sérieuse avec son bel Argentin. Dans ses rêves, tous deux ondaient une famille, un jour... Aussi est-ce un véritable choc pour Sienna lors-u'elle découvre dans la presse que l'homme dont elle est tombée éperdument moureuse s'apprête à en épouser une autre...

ariée par vengeance, de Clare Connelly - N°3984

ix ans plus tôt, Marnie aimait Nikos Kyriazis avec toute la passion de la jeu-esse. Pourtant, quand il lui a fallu choisir entre sa famille et lui, elle a renoncé son grand amour. Pis, elle a blessé Nikos de sorte qu'il ne puisse jamais lui ardonner. Si le remords et le regret n'ont cessé de la tarauder depuis, elle doit ujourd'hui faire face à une situation insensée. Nikos vient de lui mettre entre les nains un terrible marché : il sauvera son père de la ruine, si Marnie accepte de accompagner à Athènes... pour l'épouser. Un mariage dénué d'amour, mais ui a le goût amer de la vengeance...

Un homme d'affaires à séduire, de Heidi Rice - N°3985

Accompagner Dario De Rossi au bal et le séduire… Pour Megan, l'idée est pr
prement ridicule. Non seulement elle n'a rien d'une femme fatale, mais enco
ce don Juan a le pouvoir de lui faire perdre tous ses moyens d'un seul regar
Pourtant, afin de sauver l'entreprise familiale, elle parvient à surmonter ses peu
et touche enfin au but… ou presque. Car, loin de maîtriser la situation, c'est el
qui est bientôt conquise par cet homme d'affaires, l'un des plus influents de Ne
York. Jusqu'à ce qu'elle découvre qu'on ne joue pas avec le feu – au risque d
s'y brûler…

Des vœux éternels, de Jennifer Hayward - N°3986

« Nous sommes toujours mariés. » À ces mots, Angie a l'impression que
sol se dérobe sous ses pieds. Cela fait deux ans qu'elle croit que son divorc
avec Lorenzo est officiel. Deux ans durant lesquels elle s'est efforcée d'oubli
l'homme qu'elle a éperdument aimé, sans qu'il puisse jamais lui offrir aut
chose qu'une vie de solitude. Car son époux n'a jamais éprouvé de tendre
sentiments pour elle. En dehors de la chambre à coucher, il s'est toujours montr
froid et distant. Hélas, il y a pis encore que cette folle situation. Lorenzo exig
aujourd'hui qu'ils donnent une deuxième chance à leur mariage et, surtou
qu'elle lui donne l'héritier dont il a tant besoin pour assurer la lignée des Ricci.

Troublante cohabitation, de Carole Mortimer - N°3987

Quatorze mois, autant dire une éternité… Depuis tout ce temps, Gemini e
mariée à Nick Drummond sans que jamais les sentiments s'en soient mêlés.
ne devait s'agir que d'une union de pure convenance entre eux. Une créatric
de mode talentueuse mariée à un puissant homme d'affaires – le tablea
était parfait. Seulement voilà, Gemini a commis une erreur : elle est tombé
amoureuse de son époux ! Difficile de savoir quand c'est arrivé, mais la réalit
est qu'elle ne peut plus regarder Nick sans avoir envie de se jeter à son cou. Un
situation qui se complique encore lorsqu'ils doivent soudain jouer les parents d
substitution, auprès d'un petit bébé déposé chez eux à l'improviste…

Enceinte de son ennemi, de Kate Hewitt - N°3988

Rome, l'émotion, la musique, le champagne… Un homme sublime, surtout
Comment Allegra aurait-elle pu résister au beau Sicilien qui l'attire dans se
bras ? Hélas, elle déchante bien vite, quand l'inconnu à qui elle s'est offert
se révèle être Rafael Vitali, l'homme qui a racheté la société de son père
S'est-il amusé à ses dépens ? se demande-t-elle avec effroi. Blessée, Allegr
décide d'oublier son amant d'une nuit. Une résolution mise à mal le jour où ell
découvre qu'elle attend un bébé…

Passion à Caballeros, de Michelle Smart - N°3989

SÉRIE : LIÉS MALGRÉ EUX - 1ER VOLET

Francesca est déterminée à construire un hôpital à Caballeros. Mais, pour mener à bien son opération humanitaire sur cette dangereuse île des Caraïbes, elle ne peut partir seule, hélas ! Aussi accepte-t-elle, sous la pression de sa famille, d'être accompagnée par Felipe Lorenzi, expert en matière de sécurité. Un Espagnol autoritaire et suffisant, dont elle supporte mal les ordres incessants. Bientôt pourtant, sous l'effet de cette île magique, à la végétation luxuriante, à la mer cristalline et au ciel d'un bleu intense, Felipe lui apparaît sous un jour nouveau. Au point que Francesca se demande si le vrai danger ne réside pas dans l'attirance qu'elle éprouve soudain pour son détestable protecteur…

Promise à Stavros, de Dani Collins - N°3990

SÉRIE : MILLIARDAIRES INCOGNITO - 2E VOLET

Depuis six ans, Calli n'a qu'un but : quitter la Grèce pour gagner New York. Tous ses efforts et ses économies sont consacrés à ce projet. C'est là-bas, elle en est sûre, qu'elle pourra se réconcilier avec son passé. Aussi, le jour où Stavros Xenakis lui propose de l'accompagner dans la ville américaine, est-elle folle de joie. Un bonheur terni toutefois par les conditions que pose l'homme d'affaires. Si elle souhaite obtenir la carte verte, il lui faudra d'abord épouser Stavros. Un mariage de convenance qui ne saurait rester platonique, comme la raison le voudrait, si elle en croit le désir qui vibre entre eux…

L'odyssée d'une princesse, d'Annie West - N°3991

De la neige ! Il ne manquait plus que cela, après cette interminable expédition ! D'abord, le voyage secret pour atteindre Athènes à bord d'un bateau, afin d'éviter les paparazzi ; ensuite, la traversée harassante de la capitale grecque jusqu'à cette île isolée. Après tant d'obstacles, il n'est pas question pour la princesse Amélie de se laisser éconduire par Lambis Evangelos. Si cet homme l'a rejetée trois ans plus tôt, elle doit aujourd'hui oublier sa rancœur pour le bien de Seb, son neveu. Le petit prince a en effet besoin que Lambis, son parrain, assume enfin ses responsabilités envers lui. Et Amélie fera tout pour l'y obliger, même si cela implique de côtoyer quelque temps celui qui lui a brisé le cœur…

La fierté d'un héritier, de Caitlin Crews - N°3992

SÉRIE : *LA COURONNE DE SANTINA* - 4E VOLET

Épouser Rafe McFarland, l'ombrageux et richissime duc de Pembroke, et lui donner un héritier, c'est la seule issue qui s'offre à Angel si elle veut pouvoir payer les dettes colossales de sa mère. Un arrangement de pure convenance où l'amour n'entre pas en ligne de compte. Et pourtant, dès la première nuit qu'elle partage avec Rafe, dans le splendide manoir qu'il possède en Écosse, Angel sent une étrange émotion la gagner. Qu'adviendra-t-il si elle tombe amoureuse de cet homme froid et ténébreux ?

Composé et édité par HarperCollins France.

Achevé d'imprimer en juin 2018.

Barcelone

Dépôt légal : juillet 2018.

Pour limiter l'empreinte environnementale de ses livres, HarperCollins France s'engage à n'utiliser que du papier fabriqué à partir de bois provenant de forêts gérées durablement et de manière responsable.

Imprimé en Espagne.